Comprendre et rénover sa maison

Le contenu original de cet ouvrage a été rédigé en 1978 pour le Groupe de ressources techniques en habitation de Montréal inc., grâce à une subvention du ministère de la Santé nationale et du Bien-être social du Canada et de la Société d'habitation du Québec.

Auteurs de la première édition :

Jules Auger
Liette Charland
Johanne Lavallée
Robert Paradis

Auteur coordinateur :
Jules Auger, architecte

La première édition de cet ouvrage
a paru en 1979 sous le titre :
Guide de rénovation.

La deuxième édition de cet ouvrage
a paru en 1982 sous le titre :
Ce qu'il faut savoir pour rénover une maison.

Cette troisième édition revue et mise à jour
est réalisée par Jules Auger, architecte
et professeur honoraire de l'Université de Montréal.

Du même auteur :

AUGER, Jules et Nicholas ROQUET.
Mémoire de bâtisseurs du Québec
Éditions du Méridien, 1998

Jules Auger

Comprendre et rénover sa maison

Les Éditions
LOGIQUES
QUEBECOR MEDIA

Catalogage avant publication de Bibliothèque et Archives Canada

Vedette principale au titre :
Comprendre et rénover sa maison
3e éd. rev. et mise à jour.

Publié antérieurement sous le titre: Guide de rénovation, réparation, isolation, entretien d'une maison. 1979.
Comprend des réf. bibliogr. et un index.

ISBN 978-2-89381-974-7

1. Habitations - Entretien et réparations - Manuels d'amateurs. 2. Réparations - Manuels d'amateurs. I. Auger, Jules. II. Titre: Guide de rénovation, réparation, isolation, entretien d'une maison.

TH4817.3.G85 2007   643'.7
C2007-940458-8

Révision linguistique :   Emmanuel Dalmenesche
Correction d'épreuves :   Anik Charbonneau
Mise en pages :   Rachel Vincent
Photo de la couverture :   PhotoDisc
Graphisme de la couverture :   Carbone

Remerciements
Les Éditions Logiques reconnaissent l'aide financière du gouvernement du Canada par l'entremise du Programme d'aide au développement de l'industrie de l'édition (PADIÉ) pour ses activités d'édition. Gouvernement du Québec – Programme de crédit d'impôt pour l'édition de livres – gestion SODEC.

Les Éditions Logiques
Groupe Librex
La Tourelle
1055, boul. René-Lévesque Est
Bureau 800
Montréal (Québec) H2L 4S5
Téléphone : 514 849-5259 Télécopieur : 514 849-1388

Distribution au Canada
Messageries ADP
2315, rue de la Province
Longueuil (Québec) J4G 1G4
Téléphone : 450 640-1234
Sans frais : 1 800 771-3022

TABLE DES MATIÈRES

3 GUIDE D'ÉVALUATION DE LA QUALITÉ D'UN BÂTIMENT ANCIEN

INTRODUCTION

Comme vous le savez peut-être déjà, l'entretien d'une maison n'est pas de tout repos, surtout lorsque celle-ci a été négligée durant de nombreuses années ou que sa construction date d'une période relativement ancienne de notre histoire.

Ce travail, qui chaque année s'inscrit dans notre agenda, nous conduit assez souvent à prévoir des travaux qui dépassent largement le cadre de l'entretien. Nous profitons de l'occasion pour améliorer les conditions générales de confort et de sécurité exigées par notre nouveau mode de vie ou par le monde de la consommation qui nous sollicite chaque jour avec de nouveaux produits.

Il nous faut aussi faire face à des problèmes inattendus de détérioration, par exemple un toit qui coule subitement, un mur de maçonnerie qui risque de s'effondrer, une fondation qui s'enfonce ou une vieille fournaise qui rend l'âme.

Que ce soit par les programmes des organismes publics, en raison de l'augmentation du coût des combustibles ou d'une prise de conscience collective des effets négatifs de la surconsommation, nous sommes également fortement incités à réduire notre consommation d'énergie en améliorant l'efficacité énergétique de nos maisons. C'est ainsi qu'une réflexion générale s'engage sur la valeur de nos vieilles fenêtres, sur la résistance thermique de nos murs et de notre toit, et sur les mesures à prendre pour améliorer leur performance.

Aux propriétaires de longue date s'ajoutent ceux et celles qui font l'acquisition d'une maison ancienne et qui envisagent de procéder rapidement à d'importants travaux de restauration ou de rénovation. Cette démarche conduit généralement à formuler le programme d'interventions le plus logique possible, compte tenu du rôle que joue chacune des composantes du bâtiment, et à déterminer l'ordre à suivre pour réaliser harmonieusement les travaux de chantier.

L'ensemble de ces activités supposent que nous comprenions comment se comporte un bâtiment, quel rôle joue chacune de ses composantes, quels sont les phénomènes physiques qui les sollicitent et quel genre de problèmes nous pouvons rencontrer si le bâtiment ne répond pas correctement à ces sollicitations.

Cette compréhension minimale est également nécessaire pour communiquer de manière avertie avec les experts et les entreprises appelés à intervenir sur notre maison et pour poser les bonnes questions au moment de choisir les moyens de régler un problème en particulier.

Ce livre s'adresse aux personnes susceptibles d'être confrontées à cette problématique. Tout en exposant les principes de base qui régissent le rôle et le comportement des composantes et des assemblages contenus dans une maison, il traite des différents moyens permettant d'assurer leur durabilité, de réparer leurs déficiences et d'augmenter leur efficacité.

Ces interventions peuvent toutefois nuire au cachet de votre propriété. C'est pourquoi il importe, dans ce travail d'entretien, de restauration et de rénovation, de vous préoccuper de la conservation et de la protection des caractéristiques architecturales de votre maison.

Tout en soulevant certaines questions relatives à la conservation de ce caractère architectural, ce livre ne traite pas en profondeur des questions relatives à l'architecture et à la valeur patrimoniale de votre maison.

Il peut donc être indispensable de consulter un architecte ou un professionnel de votre bureau de quartier afin de vous informer des moyens à prendre pour préserver cette valeur patrimoniale.

La première partie de cette édition mise à jour expose les principes courants de construction sur lesquels reposent les principales méthodes de construction des composantes d'une maison.

La deuxième partie traite des problèmes les plus courants que présente une maison qui vieillit normalement ou prématurément, et propose un certain nombre de solutions.

La troisième et dernière partie énumère un ensemble de questions permettant d'évaluer l'état d'une maison et, partant, de faciliter votre choix, soit de la rénover, de la restaurer, en sachant les travaux que cela implique, soit d'en choisir une autre.

Nous souhaitons que ce livre constitue un instrument de référence pour ceux et celles qui assument les responsabilités personnelles ou collectives liées au rôle de propriétaire occupant d'un bâtiment résidentiel ou d'une copropriété.

Il faut toutefois éviter de le consulter comme un livre de recettes applicables à votre problème personnel. Chaque bâtiment possède sa propre histoire et il faut prendre le temps de bien comprendre cette histoire pour trouver une réponse satisfaisante à un problème dont les causes sont généralement multiples.

Bien s'informer et comprendre comment se comportent un bâtiment et ses composantes pour, par la suite, consulter des experts tout en comprenant leur langage : telle est la règle à suivre si l'on veut traiter adéquatement un problème relié à l'entretien, à la restauration ou à la rénovation d'un bâtiment résidentiel.

PRINCIPES DE BASE

Dans cette première partie, nous présentons et expliquons les divers éléments d'une maison afin de faire comprendre le rôle que joue chacun d'eux, ainsi que les principes qu'on se doit de respecter en les assemblant.

Cette démarche est le préalable nécessaire pour comprendre tout problème affectant votre maison, puis d'y appliquer une solution tenant compte de l'ensemble des principes en question.

Nous espérons que les dessins présentés vous aideront à mieux saisir ces principes et qu'ils faciliteront la compréhension de ce livre.

Nous avons choisi la maison en carré de madrier de Montréal pour illustrer ces principes.

STRUCTURE

PRINCIPES GÉNÉRAUX

La structure, c'est le squelette d'une maison. Elle sert à ramener directement au sol les différentes charges appliquées à la maison (neige, vent, meubles, occupants), ainsi que le poids des matériaux dont la maison elle-même est constituée. Ses composantes (fondation, charpente des planchers, des murs et de la toiture) sont assemblées de différentes façons selon les matériaux utilisés et la méthode de construction adoptée.

Les systèmes de construction adoptés à Montréal, qui nous servent ici de référence, reposent sur des principes qui leur sont propres, en particulier pour ce qui est de la charpente des murs extérieurs en madriers, des murs extérieurs porteurs en maçonnerie et des charpentes de toit à faible pente. Ce sont ces systèmes de structure dont nous traitons ici et qui nous servent d'exemple pour expliquer les principes de construction d'un bâtiment résidentiel.

Ailleurs au Québec, on trouve d'autres systèmes de construction, qui sont désignés par le nom donné aux différents systèmes de mur : construction à colombages pierrottés, de pièce sur pièce, en planches sur planches, en madriers sur le plat, charpente à claire-voie et, aujourd'hui, charpente à plate-forme.

Les différentes formes de toit et de charpente autres que le toit à faible pente, plus répandues en milieu rural, ne sont pas traitées ici, mais une partie des caractéristiques et des principes exposés dans les pages qui suivent s'appliquent aussi à ces systèmes.

Vous trouverez en introduction à certains chapitres et en annexe une série de dessins illustrant des systèmes de structure que nous présentons à titre d'information sans pour autant les traiter en profondeur (voir Annexes). Vous aurez peut-être ainsi la chance de reconnaître celui de votre maison.

FONDATION

Fonctions principales

La fondation est la base de la maison. C'est sur elle que repose la charpente. Une fondation de mauvaise qualité affectera la maison dans son ensemble. Pour assurer une bonne stabilité à votre maison, la fondation doit remplir les fonctions suivantes :

- distribuer le poids de la maison sur le sol;
- résister aux poussées latérales de la terre qui l'entoure;
- résister à l'infiltration de l'eau contenue dans le sol environnant;
- offrir une surface sèche sur laquelle repose la charpente en bois;
- éviter les mouvements de la structure causés par le gel du sol.

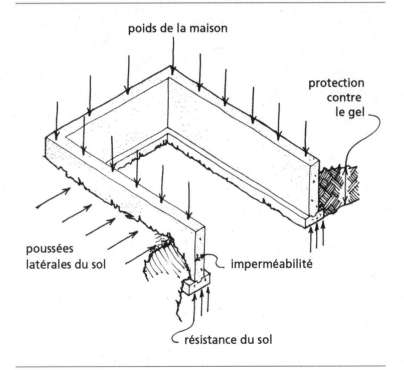

poids de la maison

protection contre le gel

poussées latérales du sol

imperméabilité

résistance du sol

Mur en pierre

Avant le début du XXᵉ siècle, les maisons étaient en général construites sur des murs de fondation en pierre.

Les pierres empilées étaient simplement liées entre elles par de l'argile ou par un mortier de chaux et formaient un mur épais de 18 à 30 pouces (457 mm à 762 mm).

La grande épaisseur ainsi obtenue permettait de déposer le mur directement sur le sol et d'obtenir une surface d'appui suffisamment grande pour bien répartir les charges de la maison sur le sol et éviter des tassements excessifs.

De plus, grâce à leur épaisseur, les murs pouvaient facilement résister aux poussées latérales du sol entourant le bâtiment, sauf en cas de gonflement excessif d'un sol gélif (argile, silt argileux).

On retrouve parfois une semelle, elle aussi construite en pierre, sous le mur de fondation en pierre d'une riche maison ou d'un bâtiment public.

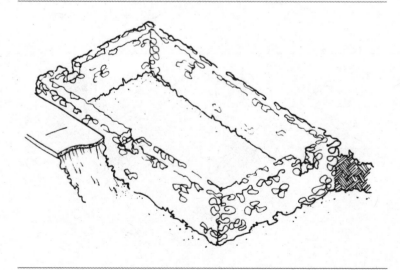

Mur en béton

À partir du début du xxᵉ siècle, et plus particulièrement dans les années 1910, la fondation des maisons est construite avec du béton coulé sur place.

Cette technique permet de réduire l'épaisseur des murs, d'accélérer la construction et d'obtenir une résistance égale sinon plus grande, selon les cas.

L'épaisseur obtenue étant moindre que celle des murs de fondation en pierre, c'est la semelle située sous le mur qui permet d'assurer une aussi grande surface d'appui sur le sol.

Une clef assure le lien entre le mur et la semelle, ce qui évite qu'ils glissent l'un sur l'autre sous l'effet des poussées latérales du sol.

Les premiers bétons, composés de ciment, de pierres concassées, de gros cailloux et d'eau, étaient pauvres en ciment. Ils sont donc facilement dégradés par le gel ou par la présence excessive d'eau, en particulier dans les sols argileux. La présence de gros cailloux, destinés à diminuer le volume de béton à mélanger, favorise également le passage de l'eau à travers ces murs.

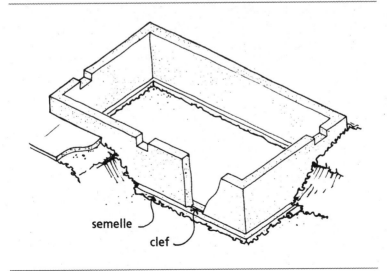

semelle

clef

Drain français

Afin de prévenir l'action de l'eau (infiltration et gel du sol) sur la fondation, on installe un drain français au périmètre de la semelle et on le branche à un puisard muni d'une pompe et situé au sous-sol de la maison.

Très peu de vieilles maisons, surtout à Montréal, ont été pourvues d'un drain et d'un puisard au moment de leur construction (il y avait alors peu de sous-sols et les maisons mitoyennes étaient fréquentes).

Aujourd'hui, en revanche, l'emploi du drain français est généralisé. Cette technique permet d'abaisser la nappe d'eau autour du bâtiment, d'orienter les surplus vers les égouts et de maintenir les fondations relativement au sec. Le drain, aujourd'hui en plastique perforé, est installé au niveau bas des semelles et recouvert d'environ 8 à 12 pouces (200 à 300 mm) de pierre concassée. On recouvre le drain, ou la pierre, d'un géotextile afin d'éviter que les fines particules de sol de remblai compromettent son efficacité, ce qui fait office de second système de drainage. La tranchée est remplie de terre d'excavation déposée par couches de 8 pouces (200 mm) et compactée mécaniquement.

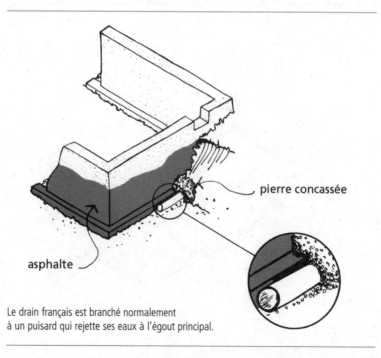

pierre concassée

asphalte

Le drain français est branché normalement
à un puisard qui rejette ses eaux à l'égout principal.

CHARPENTE DES PLANCHERS

Fonctions principales

La charpente du plancher du rez-de-chaussée comprend les colonnes, la poutre, les solives, les croix de Saint-André et le faux plancher. On l'érige après la construction du mur de fondation ou simultanément, selon le cas. Elle sert à répartir, sur les murs de fondation et les semelles des colonnes du sous-sol, les charges de plancher des étages et du toit, par l'entremise des cloisons porteuses et des colonnes. C'est ce qu'on appelle la partie horizontale de la structure de la maison.

Fonctions principales de ses composantes

1. Les solives, les croix de Saint-André (quand il y en a) et le faux plancher répartissent les charges du plancher et du toit sur les murs de fondation et la poutre centrale.

2. La poutre transmet les charges provenant des solives sur les murs de fondation et les colonnes. Elle permet de réduire la portée des solives en divisant la distance qu'elles doivent franchir entre les deux murs de fondation. Plus les solives sont petites et espacées, moins leur portée sera grande.

3. Les colonnes servent d'appui à la poutre centrale et permettent de transférer les charges au sol par l'entremise des semelles de pierre ou de béton.

Jusqu'au début du xxᵉ siècle, les maisons sont souvent plus larges que profondes, et les solives de plancher s'appuient sur les façades avant et arrière, la poutre du sous-sol étant orientée, comme en milieu rural, parallèlement à la rue.

Au début du xxᵉ siècle, la largeur des lots rétrécit, les maisons sont plus profondes que larges, et on recourt à des murs mitoyens faits de briques ou de blocs de cendre. En conséquence, l'orientation des éléments de la charpente des planchers subit une rotation de 90 degrés. Les solives s'appuient dès lors sur les murs mitoyens, et la poutre du sous-sol est orientée perpendiculairement à la rue. Ces dispositions sont représentées dans les deux pages suivantes.

Assemblages

Dans les pages 20, 21 et 22, nous présentons les détails d'assemblage les plus couramment utilisés pour joindre le mur de fondation, la poutre et les solives. Ces modes d'assemblage correspondent aux méthodes de construction en vigueur selon les époques et la division des tâches des entreprises sur le chantier.

Vue d'ensemble (XXᵉ siècle)

Caractéristiques

1. Poutre centrale encastrée dans le mur de fondation et placée dans le sens de la longueur du bâtiment.

2. Solives appuyées sur les murs de fondation et sur la poutre centrale.

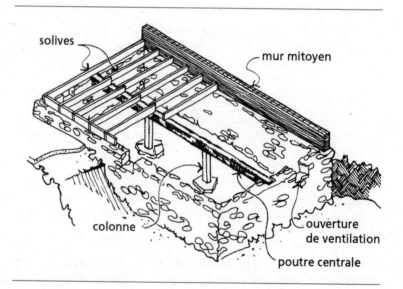

C'est la disposition de la charpente qui devient la plus commune au début du XXᵉ siècle, avec l'usage de lots étroits et profonds ainsi que l'adoption du mur mitoyen en briques. On la retrouve dans les maisons anciennes, plus larges que profondes, qui subissent, compte tenu de l'étroitesse du lot, une rotation de 90 degrés par rapport à la rue et s'insèrent entre deux murs mitoyens.

Cette disposition permet de cloisonner les espaces autour d'un corridor central dont l'un des murs (sinon les deux) est porteur, les murs s'alignant tant bien que mal sur la poutre centrale du sous-sol. Cette stratégie permet d'avoir des murs non porteurs ouverts entre deux pièces (pièces doubles), ce qui accroît la luminosité du centre du logement.

Vue d'ensemble (XVIIe, XVIIIe et XIXe siècle)

Caractéristiques

1. Poutre(s) encastrée(s) dans les murs de fondation et placée(s) dans le sens de la largeur du bâtiment.

2. Solives déposées sur les murs de fondation et sur la ou les poutres, et placées dans le sens de la profondeur du bâtiment.

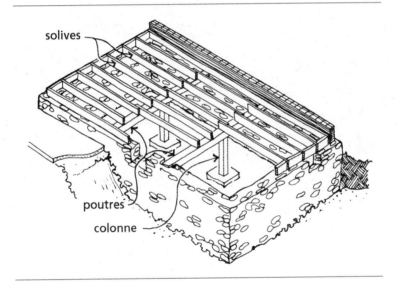

Cette stratégie structurale, plus commune dans les maisons larges et peu profondes des premiers faubourgs et comportant généralement une seule poutre au sous-sol, a continué d'être utilisée pendant un certain temps dans les maisons étroites et profondes du XXe siècle. On la retrouve aussi dans les bâtiments résidentiels logeant un commerce de coin à rez-de-chaussée. Cette stratégie, également utilisée au plafond du commerce, permettait, grâce à l'usage de colonnes, en bois ou en fonte, d'éliminer les cloisons porteuses au rez-de-chaussée. Elle n'est malheureusement pas toujours utilisée aux planchers des étages supérieurs, ce qui cause des problèmes importants de structure.

Détails d'assemblage 1

Caractéristiques

1. Poutre encastrée dans le mur de fondation.
2. Solives déposées sur le mur de fondation (sur une lisse en bois).
3. Solives appuyées directement sur la poutre.
4. Présence de croix de Saint-André à l'occasion.

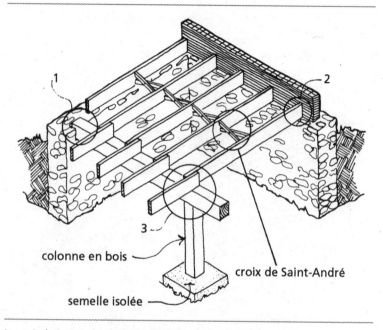

colonne en bois

croix de Saint-André

semelle isolée

Les croix de Saint-André répartissent latéralement les charges sur plusieurs solives à la fois, stabilisant ainsi la structure et réduisant les bruits de craquement.

Ce mode d'assemblage indique que les maçons construisaient d'abord le mur de fondation de moellons, en y laissant un espace pour encastrer les extrémités de la poutre. Puis les charpentiers déposaient la poutre et les solives sur le mur et fixaient les colonnes sur une pierre servant de semelle. Les éléments de charpente sont parfois remplacés par des arbres à peine équarris. Une lisse en bois continue ou des blocs de bois insérés dans le haut du mur de pierre recevaient parfois les solives.

Détails d'assemblage 2

Caractéristiques

1. Poutre et solives encastrées dans le mur de fondation en béton.
2. Solives appuyées sur une pièce de bois (lambourde) fixée à la poutre.

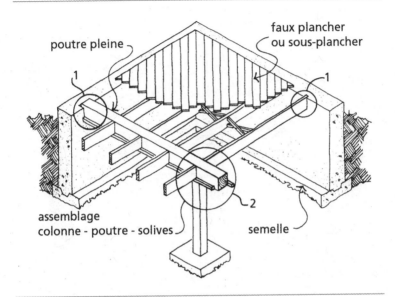

poutre pleine

faux plancher
ou sous-plancher

assemblage
colonne - poutre - solives

semelle

Ce mode d'assemblage correspond à la première technique de coulage des murs de fondation de béton. Afin d'obtenir une surface de travail confortable, la charpente du plancher était construite en même temps que le coffrage des murs et y était incorporée. On obtenait de la sorte des coffrages de mur rigides et une surface de travail permettant de mélanger manuellement le béton dans des brouettes, de les déplacer et de verser leur contenu directement dans les coffrages.

Les premiers mélanges n'étaient pas très homogènes et le ciment, coûteux à l'époque, était rare. Pour diminuer le volume de béton, de grosses pierres sont alors calées dans le mélange. Ce type de béton pose souvent problème, en particulier lorsque les sols de remblai sont saturés d'eau.

Détails d'assemblage 3

Caractéristiques

1. Poutre et solives appuyées sur le dessus du mur de fondation.
2. Colonne ajustable en acier.
3. Solive appuyée sur une pièce de bois (lambourde) fixée à la poutre ou dans des étriers en acier galvanisé.

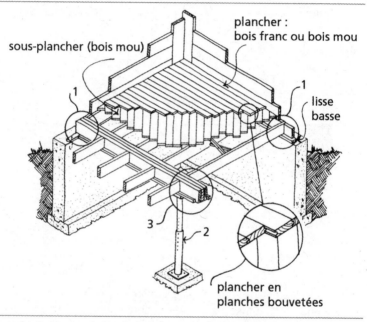

sous-plancher (bois mou)

plancher : bois franc ou bois mou

lisse basse

plancher en planches bouvetées

Faux plancher ou sous-plancher (bois mou) : sert à contreventer la structure. Il peut être posé à un angle de 45 degrés ou perpendiculairement aux solives.

À partir des années 1950, ce mode d'assemblage s'impose en raison de la division des entreprises générales de construction en différents corps de métiers. Un sous-traitant met en place la fondation de béton. Une fois cette première étape terminée, les charpentiers débutent leurs travaux. Avant d'installer les solives, on boulonne une pièce de bois (lisse basse) sur le dessus du mur. Les solives et la poutre sont aujourd'hui remplacées par de simples solives préfabriquées qui franchissent, sans appui intermédiaire, la largeur de la maison. Le sous-plancher de planches posé à 45 ou 90 degrés par rapport aux solives est aujourd'hui remplacé par des panneaux de contreplaqué ou de particules agglomérées. Il sert à contreventer horizontalement la structure du plancher et du bâtiment.

Espace sous le rez-de-chaussée

Dans les bâtiments urbains et ruraux anciens, on retrouve deux types d'espace sous le rez-de-chaussée : le vide sanitaire et la cave.

Le vide sanitaire est un espace situé sous les solives, juste assez haut pour laisser circuler les services primaires de plomberie, éviter que la charpente du plancher soit en contact avec la terre et évacuer l'humidité provenant du sol.

La cave a par contre une hauteur libre plus grande. Elle est généralement éclairée naturellement, et son plancher peut être en terre battue ou en béton. On peut facilement y circuler debout. Ses murs, plus hauts que ceux des vides sanitaires, offrent généralement une meilleure protection contre le gel.

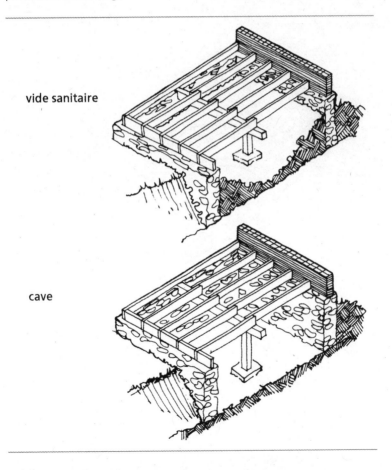

vide sanitaire

cave

Ventilation du vide sanitaire et de la cave

Fonction

Il est important d'assurer la ventilation du vide sanitaire et de la cave. La ventilation protège les composantes en bois de la charpente contre l'effet combiné d'un taux élevé d'humidité, de l'absence de lumière et de la chaleur de l'été, qui provoquent la prolifération des champignons et de la pourriture. Elle permet d'évacuer rapidement l'humidité provenant du sol et des fondations, le premier facteur de développement des champignons.

Pour assurer une ventilation adéquate, il faut un minimum de deux ouvertures placées de façon à créer un bon courant d'air. La somme des surfaces de ces ouvertures doit être équivalente à 1/500 de la surface du plancher.

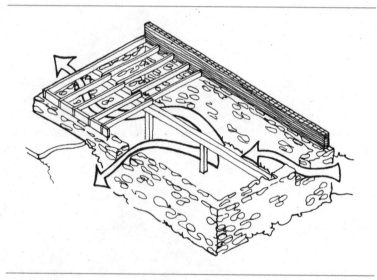

Important

Au printemps et jusqu'à la saison froide, retirez tout ce qui obstrue les ouvertures de façon à assurer une bonne ventilation. En octobre, refermez les ouvertures de manière étanche afin d'éviter que les conduites de plomberie soient affectées par le gel.

MURS EXTÉRIEURS DES MAISONS DU QUÉBEC

Contrairement à la croyance populaire, depuis le début de la colonie, on a construit à la fois des maisons de pierre et des maisons de bois. Cependant, c'est la construction de bois qui s'est d'abord imposée, en raison de l'abondance de nos forêts sur le territoire, des techniques médiévales encore utilisées à cette époque et de la vitesse de construction permise par ce matériau.

Principalement adoptés par les seigneurs, les gens aisés et le clergé, les bâtiments de pierre restent marginaux dans le paysage des premières implantations. Ce n'est qu'au XVIIᵉ siècle que les administrateurs des premières villes du Québec imposeront certaines règles de construction afin de réduire les risques de propagation des incendies.

La maison de bois est alors repoussée aux portes des villes, dans les premiers faubourgs et en milieu rural. On adopte d'abord la technique du mur à colombages pierrottés, puis celle du mur de pièce sur pièce façonné à la hache, en raison de la rareté des clous et des moulins à scie.

La construction des bâtiments de pierre reste coûteuse à cause du travail de taille et de manutention des pierres, et de la fabrication de la chaux nécessaire pour la préparation du mortier. Après la création des premières fabriques de briques au début du XIXᵉ siècle, les maçons remplacent les murs de pierre par des murs massifs en brique. Auparavant, la brique était produite en France et en Angleterre; en raison du peu de matériau disponible, son usage se limitait à la construction des fours et des cheminées.

La technique consistant à combiner des murs extérieurs porteurs en brique à une charpente de toit et de planchers en bois est largement adoptée par les constructeurs des premiers faubourgs de Montréal. On la retrouve dans les quartiers Saint-Henri, Pointe-Saint-Charles, Centre-Sud et dans les premiers quartiers nord, adjacents au boulevard Saint-Laurent.

Cette technique, considérée comme plus résistante au feu, s'impose avec le développement des quartiers les plus cossus à partir du milieu et de la fin du xixe siècle. On combine le mur de brique porteur à un parement de pierre de taille pour la façade principale de la maison ou pour l'ensemble du bâtiment.

L'épaisseur des murs extérieurs varie entre le rez-de-chaussée et le dernier étage, passant souvent, dans les bâtiments de trois étages, de 16 pouces (400 mm) à 8 pouces (200 mm), sans compter l'épaisseur du parement de pierre de 6 pouces (150 mm). Il en va de même pour les murs porteurs coupe-feu insérés entre les maisons mitoyennes.

À la même époque, le développement des moulins à scie permet de réduire l'épaisseur des murs des maisons de pièce sur pièce, qui passe de 7 pouces (175 mm) à 3 pouces (75 mm), soit une épaisseur de madrier. Ces nouvelles pièces de bois allègent la charpente et les murs et facilitent ainsi la construction de bois.

Pour augmenter leur résistance au feu, on exige toutefois que ces nouveaux murs en carré de madrier soient recouverts avec un parement de brique ou de pierre.

L'introduction du feutre goudronné (papier noir), vers le milieu du xixe siècle, permet de protéger le madrier de ces murs contre les infiltrations potentielles d'eau, tout en rendant ces derniers un peu plus étanches à l'air. Le feutre goudronné est utilisé de façon un peu aléatoire derrière la brique de parement, et on le retrouve aussi quelquefois sur la face intérieure des murs.

Ce système de construction, plus économique, est favorisé par la Ville et par les constructeurs de Montréal, et reste obligatoire jusqu'en 1972. Il est alors remplacé par le mur à colombages, isolé pour satisfaire les nouvelles normes en matière d'économie d'énergie. Avant cette date, on fixait des colombages de 2 ou 3 pouces (38 ou 64 mm), servant de soufflage au mur en carré, sur la face intérieure des murs afin d'y insérer une laine isolante.

Aujourd'hui, le mur extérieur à colombages de 2 x 6 pouces (39 mm x 140 mm), recouvert d'un panneau de particules et rempli de laine isolante, est la norme à Montréal et au Québec pour les bâtiments de trois étages et demi ou moins.

À partir du début du xxe siècle, on combine aux murs porteurs en brique un bloc de terra-cotta contenant des alvéoles d'air, ce qui contribue à augmenter la résistance thermique des murs. Le bloc de terra-cotta est utilisé comme un élément de support ou comme une couche isolante intérieure qu'on ajoute aux murs et qui sert de support au plâtre de finition.

Dans les années 1920 et 1930, on favorise parfois les murs extérieurs composés d'un bloc de cendre (ciment et agrégats de résidus de hauts fourneaux) porteurs ; ces murs ont 12, 10 ou 8 pouces (300, 250 ou 200 mm) d'épaisseur et sont recouverts d'une brique ou d'une pierre artificielle de parement. Dans ce type de mur, le parement de brique est souvent relié au mur porteur en bloc par des boutisses de brique insérées entre certains rangs de bloc. Le mur porteur en bloc de béton remplacera plus tard le mur porteur en bloc de cendre.

Le fini intérieur en plâtre de ces murs est construit sur des lattes de bois d'abord fendues à la main puis sciées au moulin. Comme les lattes sont espacées d'environ 1/4 pouce (6 mm), le plâtre y reste accroché une fois qu'on l'y a inséré. Les lattes sont fixées aux murs extérieurs grâce à une fourrure verticale en bois de 1 x 2 pouces (25 x 50 mm) fixée, à plat sur le mur, tous les 12 pouces (300 mm) de centre à centre. Dans le cas des murs en maçonnerie, une baguette de bois, insérée horizontalement dans un joint de pierre ou de brique, permet de fixer ces fourrures à la maçonnerie.

Mur extérieur en madriers

La charpente du mur en madriers, communément appelée « carré de madrier », est, avec le mur massif en maçonnerie, le système le plus répandu dans les constructions anciennes de Montréal.

Cette charpente comprend les madriers de soutien verticaux (ou poteaux), les madriers de soutien horizontaux (linteaux) et les madriers (ou pièces) de remplissage.

Le madrier utilisé est soit de 3 pouces (75 mm) d'épaisseur, soit de 2 pouces (50 mm) recouvert d'une planche à 45 degrés de 1 pouce (25 mm) d'épaisseur. La largeur des pièces varie entre 8 et 24 pouces (200 et 600 mm), mais on retrouve généralement des pièces de 10 pouces (250 mm).

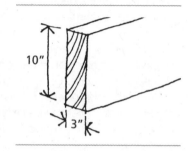

Fonctions principales des composantes

1. Le linteau reçoit les charges et les distribue sur les poteaux situés de chaque côté. Certains linteaux ne supportent que le poids des pièces de remplissage, alors que d'autres servent d'assise pour les solives de planchers ou de balcons.

2. Les poteaux reçoivent toutes les charges du bâtiment transmises par les linteaux et les communiquent à la fondation sur laquelle ils reposent directement. Les poteaux sont généralement continus, de la fondation au toit.

Caractéristiques

1. Assez bonne résistance au feu.
2. Grande rigidité lorsque bien contreventé.
3. Valeur isolante appréciable.

Vue d'ensemble

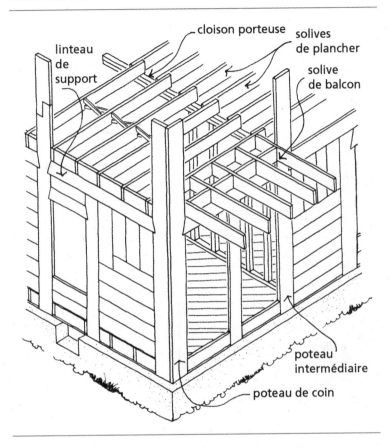

linteau de support

cloison porteuse

solives de plancher

solive de balcon

poteau intermédiaire

poteau de coin

La charpente des murs en madrier est généralement construite de cette façon. Toutefois, les assemblages entre le linteau et les poteaux des bâtiments plus anciens sont à queue-d'aronde, et les joints entre l'extrémité des madriers de remplissage et les colonnes sont à coulisses.

De plus, les madriers de remplissage sont reliés horizontalement par un double bouvetage, ce qui confère au système une grande rigidité et une assez bonne résistance au passage de l'air froid. Cette façon de faire s'explique par la rareté des clous. Par contre, les colonnes n'étant pas toujours continues de la fondation au toit, cela a pour effet d'introduire parfois des déformations dans l'assemblage du mur.

Remplissage et assemblage à biseau

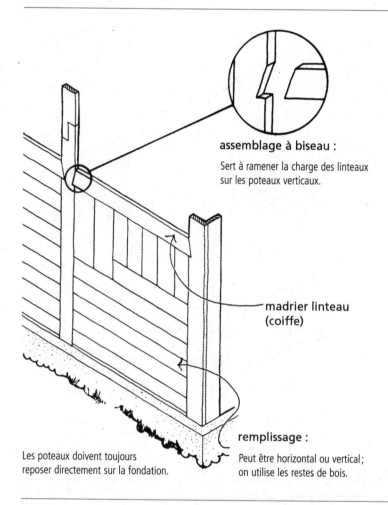

assemblage à biseau :

Sert à ramener la charge des linteaux sur les poteaux verticaux.

madrier linteau (coiffe)

Les poteaux doivent toujours reposer directement sur la fondation.

remplissage :

Peut être horizontal ou vertical ; on utilise les restes de bois.

Ouverture de fenêtre Détail 2

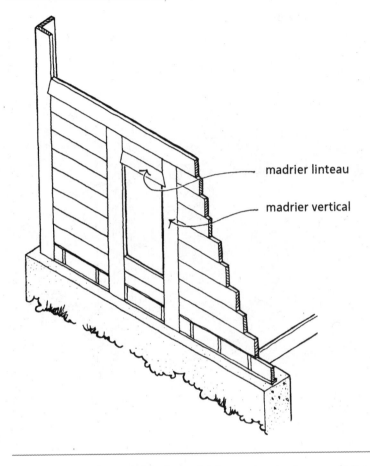

madrier linteau

madrier vertical

Il doit y avoir un madrier vertical de chaque côté des ouvertures (sauf pour une fenêtre de moins de 2 pieds 6 pouces de largeur ou 760 mm) et un madrier linteau assemblé à biseau.

CHARPENTE DES MURS INTÉRIEURS

Cloison porteuse

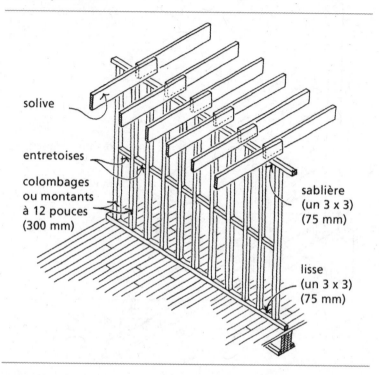

solive

entretoises

colombages
ou montants
à 12 pouces
(300 mm)

sablière
(un 3 x 3)
(75 mm)

lisse
(un 3 x 3)
(75 mm)

Fonction

Comme les murs extérieurs, les cloisons porteuses supportent le poids des planchers et du toit et le transfèrent directement au sol par l'intermédiaire de la poutre (ou des poutres) et des colonnes du sous-sol.

Les cloisons porteuses sont généralement orientées dans la même direction que les poutres du sous-sol, sauf lorsque les solives changent de direction aux plafonds des étages. Il faut donc déterminer ces cloisons en localisant le sens des solives de chacun des plafonds. Souvent elles sont décalées soit d'un étage à l'autre, soit par rapport à la poutre du sous-sol. Ce décalage ne devrait pas dépasser la hauteur des solives supportées, ce qui est rarement le cas.

Ce type de cloison est aujourd'hui éliminé en raison de l'usage de plus en plus fréquent des fermes préfabriquées qui remplacent les solives et qui franchissent la largeur du bâtiment.

Cloison non porteuse

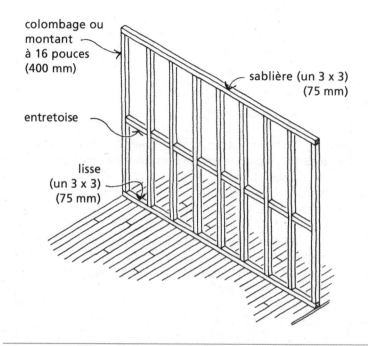

colombage ou
montant
à 16 pouces
(400 mm)

sablière (un 3 x 3)
(75 mm)

entretoise

lisse
(un 3 x 3)
(75 mm)

Fonction

Les cloisons non porteuses partagent l'espace habitable des logements selon les différentes activités, elles en facilitent l'aménagement et reçoivent la finition intérieure de chacune des pièces.

Ces cloisons ne supportent aucune charge de plancher, sauf au dernier étage, où la charpente du double toit possède souvent des chevrons contraires au sens des solives. De plus, elles contribuent, en particulier pour les bâtiments occupant un coin de rue, au contreventement latéral du bâtiment et à la stabilité des longs murs extérieurs vitrés.

Un décloisonnement excessif des logements pourrait, dans ce cas, compromettre, la stabilité verticale de certains murs extérieurs.

COMPRÉHENSION D'UNE CHARPENTE

Méthode à suivre

Lorsqu'on a l'intention de faire d'importants travaux de rénovation ou des réaménagements à l'intérieur d'un logement, il faut déterminer :

1. à quel type de structure (acier, bois, madrier) on a affaire;
2. dans quel sens sont posées les solives et la poutre;
3. où sont les murs porteurs.

On peut déjà connaître la structure selon le sens dans lequel est orientée la poutre au sous-sol. Les murs porteurs devraient être dans le même sens et se trouver au-dessus de cette poutre. Cependant, dans les vieilles maisons, il n'est pas rare qu'il y ait un décalage entre les murs porteurs et la poutre.

Si les travaux de rénovation doivent affecter la structure de la maison, il est préférable de pratiquer des ouvertures dans les plafonds, au-dessus des cloisons qu'on croit porteuses, et de vérifier si les solives se rejoignent bien à cet endroit.

Attention, cependant, il ne faut pas confondre les solives avec les four-rures (morceau de bois de 1 x 2 pouces [25 x 50 mm]). Il est en effet courant que les lattes de bois du plafond soient clouées à une fourrure perpendiculaire aux solives.

Il n'est pas rare que des solives soient orientées différemment d'un étage à l'autre. Il est donc conseillé de pratiquer des ouvertures dans les plafonds des garde-robes, à des endroits stratégiques, afin de vérifier dans quel sens sont orientées les solives.

Lorsqu'il s'agit d'une maison où il y a déjà eu un local commercial (grand espace libre), il arrive souvent que le plafond comporte une structure d'acier, ce qui entraîne plusieurs particularités au niveau de la structure des étages supérieurs.

Structure   **Composition d'un plancher d'étage**

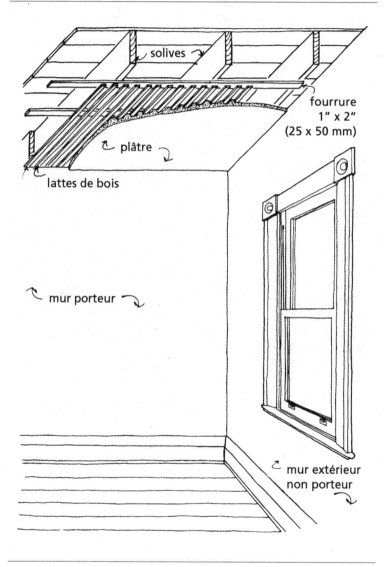

solives

fourrure
1" x 2"
(25 x 50 mm)

plâtre

lattes de bois

mur porteur

mur extérieur
non porteur

SAILLIES

Balcons et galeries

Le terme « balcon » est généralement utilisé pour désigner les saillies donnant sur les façades principales, tandis que le terme « galerie » désigne celles donnant sur les façades arrières.

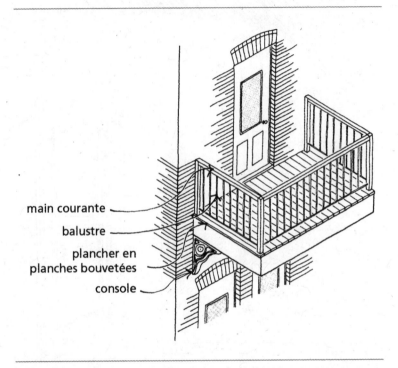

main courante
balustre
plancher en planches bouvetées
console

Les saillies sont les parties du bâtiment qui se dégagent du mur extérieur. Nous traiterons ici du balcon, de la galerie et de l'escalier.

La charpente des balcons et des galeries est généralement reliée à celle de la maison.

Charpente des balcons et galeries

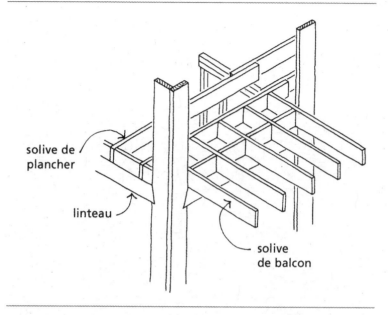

solive de plancher

linteau

solive de balcon

Pour ce qui est de la charpente du balcon ou de la galerie, il s'agit soit du prolongement, en porte-à-faux, des solives du plancher à l'extérieur du mur extérieur, soit, comme ici, de solives fixées à la première solive du plancher, qui s'appuient au mur extérieur sur un linteau.

Les balcons plus profonds et superposés sont souvent soutenus à leurs extrémités par des colonnes qui, dans certains cas, reposent sur des fondations de pierre ou de béton. Ces colonnes supportent alors une partie du poids appliqué sur les solives. Dans ce cas, il est recommandé d'étayer temporairement les balcons lors de leur réparation ou de leur remplacement.

Escalier

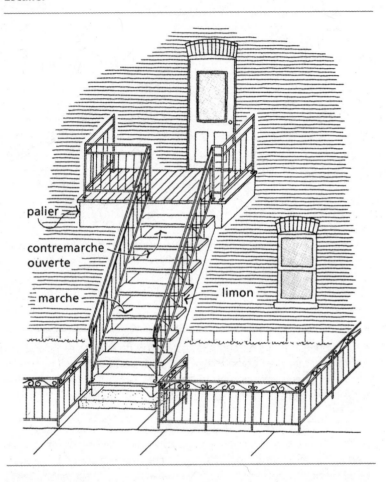

palier

contremarche ouverte

marche

limon

La charpente du palier, les limons et la première marche en pierre ou en béton forment la structure de l'escalier ; ils supportent les charges appliquées aux marches.

Dans le cas d'un escalier extérieur, comme ici, les limons sont généralement en métal.

Ils reposent sur une dernière marche en pierre ou en béton servant de semelle et prévenant la corrosion ou la moisissure auxquelles sont exposés les limons en bois.

STRUCTURE

Explications supplémentaires

Ces quelques détails supplémentaires et le dessin qui suit donnent une vue d'ensemble de la structure des maisons anciennes dites « en rangée ».

Ce qui caractérise la charpente de ces maisons de bois, ce sont ses murs extérieurs en carré de madrier, typique des maisons du milieu du XIXe siècle et d'une partie du XXe siècle. C'est ce qui la différencie de la charpente des maisons en maçonnerie, dont les murs extérieurs sont en brique plutôt qu'en bois et dont le toit se draine souvent par une seule pente, vers la cour arrière – contrairement au toit plat (à bassin) illustré sur le dessin de la page suivante. La charpente des planchers de ces maisons est également renversée, les solives reposant habituellement sur les murs des façades avant et arrière, et non sur les murs mitoyens.

La charpente du toit plat comporte ici de légères pentes intérieures vers le drain de plomberie de la maison, qui est généralement situé au-dessus des salles de bains des logements et qui se poursuit jusqu'au toit. Ce système de drainage a été adopté lorsque les constructeurs ont introduit les toilettes à l'intérieur des bâtiments. Plusieurs propriétaires ont alors profité de cette amélioration pour transformer leur toit se déversant sur une ou deux de leurs façades en toit à bassin, éliminant ainsi les problèmes de glaçons et de dégradation des parements de maçonnerie.

Les cloisons porteuses sont plus ou moins alignées les unes au-dessus des autres et sur la poutre centrale du sous-sol. Les maisons plus récentes et plus larges possèdent quelquefois deux poutres au sous-sol, et les deux cloisons du couloir sont porteuses.

C'est aussi souvent le cas des maisons plus anciennes, en maçonnerie, lorsque les solives s'appuient sur les façades avant et arrière et sur deux cloisons porteuses.

Le mur mitoyen coupe-feu présenté ici appartient à deux maisons et est construit sur la ligne de propriété des deux terrains. Il se poursuit jusqu'au-dessus du parapet, avec des variations d'épaisseurs selon les étages, et il est porteur. Toutefois, tous les murs mitoyens ne sont pas nécessairement des murs coupe-feu.

Certains murs mitoyens contiennent un mur en carré de madrier recouvert, sur un côté, d'une simple brique de 4 pouces (100 mm), porteuse sur deux ou trois étages, et ne se poursuivant pas jusqu'au toit. D'autres sont à colombages, quelquefois hourdies de briques, et les solives de plancher et de toiture se prolongent souvent dans les maisons voisines.

Vue d'ensemble

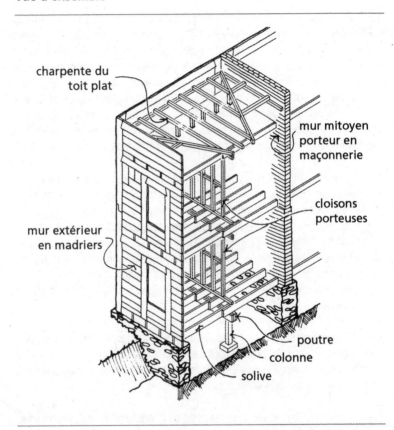

charpente du toit plat

mur mitoyen porteur en maçonnerie

cloisons porteuses

mur extérieur en madriers

poutre

colonne

solive

Dans le cas d'une maison en maçonnerie, les murs en carré de madrier qu'on voit sur ce dessin seraient remplacés par des murs en brique, comme c'est le cas pour le mur mitoyen. Pour une maison de deux étages, ces murs auraient normalement 12 pouces (300 mm) d'épaisseur au rez-de-chaussée et 8 pouces (200 mm) au deuxième étage. Il en va de même pour le mur mitoyen.

Au lieu d'un toit plat, on aurait probablement un toit mansardé ou un toit à une seule pente se drainant vers l'arrière. La charpente des planchers pourrait aussi être renversée, les solives s'appuyant plutôt sur les façades avant et arrière comme présenté sur ce dessin.

Les coupes de quelques autres bâtiments résidentiels sont présentées en annexes à la fin du livre.

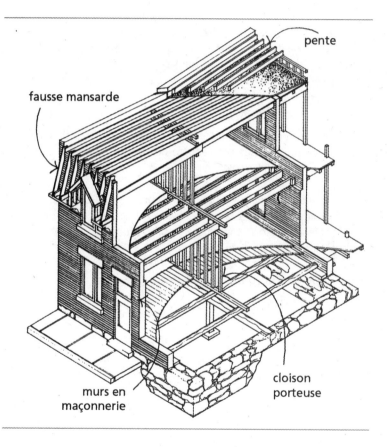

Dans ce cas-ci, le toit à une seule pente a été transformé, plus tard, en toit à bassin par l'ajout d'une seconde charpente sur la partie arrière du toit existant.

ENVELOPPE

PRINCIPES GÉNÉRAUX

Une fois la structure du bâtiment érigée, on procède à son imperméabilisation, à son étanchéisation et à son isolation. Les murs de fondation, le toit et les parapets sont imperméabilisés et isolés ; les portes et les fenêtres sont mises en place et leurs joints sont étanchéifiés ; le pare-air et les parements extérieurs recouvrent les murs et les drainent ; les murs extérieurs sont aujourd'hui isolés. Ces éléments constituent l'enveloppe du bâtiment.

Fonction de l'enveloppe

L'enveloppe protège les éléments extérieurs de la structure du bâtiment de la détérioration causée par l'eau, le gel, les tassements différentiels du sol et les rayons ultraviolets.

Elle assure le confort des occupants en les protégeant contre la pluie, le vent, l'humidité, le gel et la neige, tout en leur assurant un environnement intérieur sain (température, taux d'humidité, qualité de l'air, ensoleillement, résistance au feu).

L'enveloppe doit posséder quatre propriétés :

1. l'imperméabilité (résistance au passage des molécules d'eau et de vapeur) ;
2. l'étanchéité à l'air (résistance aux infiltrations/exfiltrations de l'air) ;
3. la résistance mécanique (stabilité, rigidité, durabilité) ;
4. la résistance thermique (réduction de la vitesse d'écoulement de la chaleur, résistance aux rayons ultraviolets et résistance relative au feu).

Dans les bâtiments anciens, ce sont surtout l'étanchéité à l'air et la résistance thermique qui sont déficientes. Les murs massifs en brique sont très poreux ; les joints dans le carré de madrier sont peu étanches à l'air, et les fenêtres et les portes présentent les mêmes faiblesses. Ce sont ces composantes qu'il faut chercher à améliorer lors d'une rénovation ou d'une restauration de maison.

Phénomènes physiques qui sollicitent l'enveloppe

L'enveloppe de nos maisons est mise à rude épreuve par les conditions climatiques extrêmes qui règnent au Québec. Il en résulte de nombreux problèmes qui touchent ses composantes. Pour bien comprendre les phénomènes en cause, nous allons voir comment une maison ouverte sur deux étages se comporte durant les mois d'hiver. Nous ne traiterons pas ici des problèmes dus à la pluie et aux rayons ultraviolets du soleil.

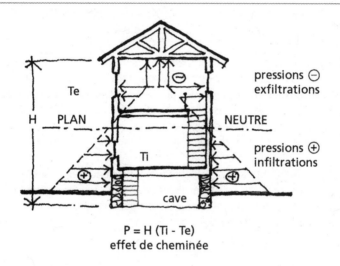

$$P = H (Ti - Te)$$
effet de cheminée

En l'absence de vent, comme le dessin l'illustre, il se crée des pressions positives (forces mécaniques) sous le plan neutre situé à peu près au milieu de la hauteur de la maison, et ce, à cause de la hauteur continue de la maison (étages ouverts) et des écarts de température entre l'intérieur et l'extérieur. Ces pressions entraînent des infiltrations d'air froid à travers les fondations, les murs extérieurs et les fenêtres. La quantité d'air qui s'infiltre est fonction de la quantité de trous et de fissures présents dans la partie basse de l'enveloppe.

Au-dessus de ce plan neutre, on est en présence de pressions négatives qui s'exercent sur le plafond de l'étage, sur les murs extérieurs et les fenêtres. Ces pressions favorisent des exfiltrations d'air chaud et humide à travers les fissures et les trous présents dans cette partie de l'enveloppe.

Plus il fait froid, plus les pressions sont fortes. Les infiltrations sont alors plus nombreuses dans la partie basse de la maison, ce qui a pour effet de refroidir le rez-de-chaussée. En raison des fortes pressions à l'étage, la vapeur d'eau contenue dans l'air chaud de l'étage traverse plus rapidement l'enveloppe et finit par se condenser sur les fenêtres, les murs et dans l'entretoit.

C'est ce qu'on appelle l'« effet de cheminée », premier phénomène de pression agissant sur l'enveloppe de la maison. Il dépend de la hauteur totale et ouverte (H) de la maison et de la différence entre la température intérieure (Ti) et la température extérieure (Te). On calcule la pression à l'aide de la formule suivante : pression = H (Ti – Te).

En raison de ce premier phénomène, nous pouvons déjà conclure que, dans le cas d'un bâtiment plus ou moins bien résistant aux infiltrations/exfiltrations, il est des plus avantageux de cloisonner (compartimenter) le mieux possible les étages : il en résulte un plus grand confort, des économies d'énergie et une réduction des fuites d'air humide à travers les murs et le toit.

On peut aussi utiliser des techniques qui réduisent les écarts de température entre l'intérieur et l'extérieur de la maison : thermostats programmés pour le jour et la nuit ou ventilateurs au plafond de l'étage rejetant l'air chaud au rez-de-chaussée.

La hauteur totale de la maison et les écarts de température constituent des conditions favorisant la création de pressions mécaniques. S'y ajoute le vent, qui contribue à amplifier les pressions positives et négatives sur l'enveloppe de la maison.

Comme le dessin suivant l'indique, le vent accroît les pressions positives sur la façade exposée, alors que les pressions positives diminuent sur la façade protégée du vent en raison d'un effet de succion. Cela tient au fait que les pressions mécaniques dues au vent s'ajoutent aux pressions créées par l'effet de cheminée. Ces pressions positives, plus importantes d'un côté de la maison, modifient le degré d'infiltration d'air de ces façades et font ainsi basculer à l'oblique le plan neutre.

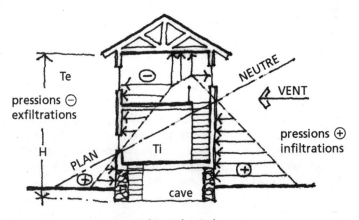

$$P + H (Ti - Te) + P \text{ du vent}$$

En comparant le second dessin au premier, nous observons de très fortes pressions positives sur la façade exposée au vent et de très fortes pressions négatives sur la façade opposée au vent, ainsi qu'au plafond de l'étage.

Avec une augmentation des pressions négatives, les effets du vent augmentent d'autant la quantité d'air chaud et humide pouvant se loger par exfiltration dans les assemblages des murs, des fenêtres et du toit. En se condensant, ces vapeurs mouillent les matériaux de l'enveloppe et, avec le temps, le gel et les champignons, finissent par les détruire.

Comme nous le constatons, plus il fait froid et il vente, plus nos maisons sont sollicitées par de fortes pressions mécaniques qui ont pour effet d'introduire beaucoup d'air froid et sec dans les assemblages peu étanches du bas de la maison, tout en expulsant beaucoup d'air chaud et humide dans les assemblages peu étanches des parties hautes. C'est ce qui explique la sécheresse qu'on ressent par temps froid dans une maison peu étanche à l'air, qui n'arrive pas à conserver son humidité.

À l'inverse, dans une maison trop étanche à l'air, qui résiste bien aux pressions positives et négatives, et qui n'est pas ventilée par un appareil mécanique, le renouvellement de l'air n'est pas suffisant. De plus, le taux d'humidité demeure trop élevé. Ces conditions peuvent avoir des effets néfastes sur la santé des occupants.

Comme les pertes énergétiques par infiltrations/exfiltrations représentent jusqu'à 30 % de nos factures de chauffage, nous accordons aujourd'hui une très grande importance à l'étanchéité à l'air de l'enveloppe de nos maisons, en particulier lorsque nous les rénovons. Toutefois, lorsqu'on effectue ces travaux, il faut aussi installer un appareil permettant de renouveler l'air de la maison tout en contrôlant le taux d'humidité de cet air en fonction de la température extérieure de tous les jours.

Comme nous venons de le voir, plus il fait froid, plus la vapeur d'eau contenue dans l'air chaud de la maison s'exfiltre vite, et ce, par le moindre trou, et plus cette vapeur fait rapidement des dégâts dans l'enveloppe. En conclusion, retenons que plus il fait froid, plus la performance de l'assemblage pare-air doit être grande, et moins le taux d'humidité doit être élevé dans la maison. Un senseur installé à l'extérieur de la maison et branché à un échangeur d'air de qualité permettra de calibrer ces rapports entre air, humidité et température.

MURS EXTÉRIEURS
EN CARRÉ DE MADRIER

Composantes

La finition extérieure d'un ancien mur en carré de madrier comprenait généralement un feutre goudronné cloué au carré, une cavité d'air d'environ 1 pouce (25 mm) d'épaisseur, des clous servant d'attaches, des allèges et des linteaux en bois ou en pierre, une brique de parement de 3 3/4 pouces (95 mm) ou une pierre de taille de 5 à 6 pouces (125 à 150 mm) d'épaisseur. Il n'y avait ni solins ni chantepleures.

Membrane de protection

Aujourd'hui, la mise en place d'un nouveau parement de maçonnerie comprend la pose, sur le vieux carré, d'une membrane pare-pluie et pare-air de polyoléfine (Tyvek ou Typar) scellée aux joints et autour des ouvertures. On peut ensuite ajouter un carton-fibre asphalté (Tentest) de 1/2 pouce (12 mm) d'épaisseur pour améliorer l'efficacité thermique du mur et le rendre encore plus étanche.

Solins

On installe des solins de caoutchouc synthétique sur l'assise du mur de fondation, sous les allèges et sur le dessus des linteaux. On les remonte d'au moins 8 pouces (200 mm) sous la membrane de polyoléfine, et on s'assure qu'ils débordent de 6 pouces (150 mm) de part et d'autre des ouvertures laissées dans le mur.

Attaches

Les clous qui servaient d'attaches sont aujourd'hui remplacés par des feuillards en acier galvanisé, qui sont posés à 24 pouces (600 mm) horizontalement et à 16 pouces (400 mm) verticalement. On les insère d'au moins 2 pouces (50 mm) dans le mortier.

Cavité d'air et chantepleures

On laisse un espace d'air de 1/2 pouce (12 mm) à 1 pouce (25 mm) d'épaisseur entre la brique et le fini du mur en carré. Cet espace est mis en contact avec l'air extérieur grâce à des chantepleures situées tous les 24 pouces (600 mm) dans le premier rang de briques, sous les allèges et au-dessus des linteaux. Cet espace permet de drainer le mur et d'équilibrer les pressions d'air devant et derrière le parement afin de réduire au maximum les infiltrations d'eau à travers le parement.

Maçonnerie (pierre ou brique)

Contrairement aux murs massifs porteurs en brique, le parement est ici indépendant de la structure du bâtiment. Les pièces sont liées avec un mortier contenant de préférence de la chaux, comme autrefois. Ce type de mortier est plus étanche à l'eau, moins dur et plus facile à poser. On lisse les joints au fer rond ou plat pour obtenir un profil de joint qui s'égoutte bien et un mortier plus étanche. Les joints laissés autour des cadres de portes et des fenêtres doivent être rendus imperméables par un produit de scellement souple.

Finition du mur et protection contre le feu

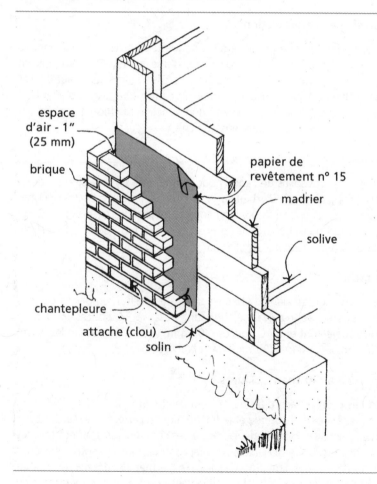

Bien que protégé du feu par la maçonnerie, le mur en carré de madrier du xixᵉ siècle et du début du xxᵉ siècle n'est pas toujours recouvert d'un feutre goudronné et offre peu de résistance au passage de l'air et de l'eau. De plus, il n'y a généralement pas de solins au bas du mur et au-dessus des ouvertures. Il n'y a pas non plus de chantepleures pour drainer et ventiler la cavité du mur. C'est pourquoi on trouve souvent des madriers pourris au bas du mur et aux allèges de fenêtre.

Aujourd'hui, les principes de construction veulent qu'on fabrique un écran de pluie à pressions d'air équilibrées, ce qui nécessite de bâtir le mur derrière le parement, étanche à l'air ; il s'agit de règles maintenant reconnues partout au Canada.

Construction en carré de madrier des années 1920-1930

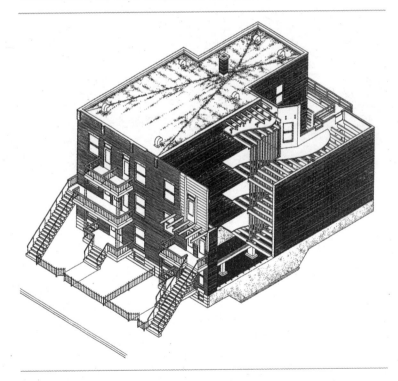

TOIT PLAT (OU À BASSIN)

Principes généraux

Avant 1860, les toits recouverts de tôle sont à fortes pentes ou mansardés. Ils se drainent sur la rue et la cour, d'où la formation de glaçons dangereux pour les passants. À l'inverse, le toit plat à pentes faibles est recouvert d'une membrane de feutre goudronné étanche et conduit l'eau soit à un drain, comme ici, soit vers la cour. Dans les bâtiments anciens, ce drain sert aussi de prise d'air pour le système de plomberie des logements. Il est protégé des feuilles et des balles de tennis par un grillage. Peu de toits anciens sont ventilés.

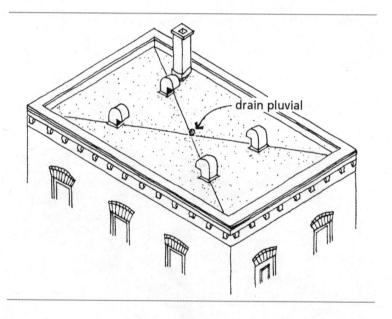

drain pluvial

La membrane est réalisée par la superposition de plusieurs couches de feutres asphaltés, collés avec du goudron ou de l'asphalte chaud. On la recouvre à la fin d'une épaisse couche de goudron ou d'asphalte, sur laquelle on répand de la pierre concassée. Cette pierre protège la membrane contre les rayons ultraviolets, empêche le vent de l'arracher, constitue une masse thermique qui ralentit sa vitesse de refroidissement et diminue la vitesse d'écoulement de l'eau qui l'érode. Les murs parapets sont également protégés de l'eau et du soleil par des solins de feutres asphaltés et des contre-solins métalliques scellés.

Important

À l'automne, il est recommandé d'inspecter la couverture en observant le comportement des scellants et de la peinture des contre-solins, de nettoyer la grille du drain et de replacer uniformément la pierre concassée accumulée au drain pour assurer une protection complète de la membrane. Il convient d'ajouter de la pierre concassée s'il en manque (elle est vendue en sacs chez les détaillants de matériaux de construction).

Couverture multicouches

La pose d'une nouvelle couverture suppose qu'on répare ou qu'on remplace les surfaces de platelage pourries ou trop déformées. C'est aussi l'occasion d'évaluer la faisabilité et la pertinence d'ajouter un matériau isolant dans l'entretoit.

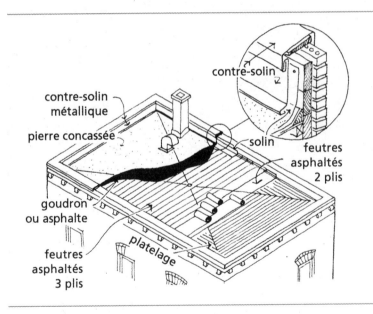

La méthode la plus économique pour réaliser la couverture consiste à superposer trois, quatre ou même cinq épaisseurs de feutres asphaltés, selon le budget dont on dispose, et à les coller sur toute la surface avec de l'asphalte liquide. Les rouleaux de feutre, de 36 pouces (900 mm), doivent se chevaucher sur 66 % de leur largueur pour une membrane comportant trois plis, et sur 75 % de leur largueur pour une membrane de quatre plis (voir le dessin de la page 132). Pour une membrane de cinq plis, on réalise, au cours de la même journée et dans la même direction, deux membranes superposées : une première de deux plis (chevauchés de 50 %) et une seconde de trois plis (chevauchés de 66 %). On effectue la pose de la membrane à partir du drain, dans le sens le plus étroit du bâtiment. À la fin, on recouvre la membrane d'une épaisse couche d'asphalte, sur laquelle on répand environ 3/4 pouce (19 mm) de pierre concassée (20 kg/m²).

Des solins de trois plis, renforcis d'un feutre de fibre de verre, assurent l'étanchéité à l'eau des joints entre la couverture, les murs parapets, les puits de lumière, la trappe d'accès, s'il y en a une, et les ouvertures de ventilation. Les murs parapets sont recouverts de contre-solins métalliques, ce qui protège la partie verticale des solins des rayons du soleil et des chocs et évite que l'eau pénètre dans la cavité du mur.

ISOLATION

Fonctions principales

Le but de l'isolation thermique est d'améliorer le confort des logements en hiver comme en été. De plus, l'isolation thermique permet de réduire la consommation énergétique et les coûts qu'elle entraîne. En matière d'isolation, les pertes et les gains résultent de trois phénomènes physiques importants : 1) les infiltrations et les exfiltrations d'air causées par les différences de température entre l'intérieur et l'extérieur ainsi que par le vent, 2) les échanges thermiques par conduction à travers les matériaux plus ou moins conducteurs et 3) le rayonnement des matériaux sous forme d'ondes.

Isoler un bâtiment suppose des interventions visant à contrôler ces trois phénomènes :

1. améliorer l'étanchéité à l'air de l'enveloppe du bâtiment, en obstruant les trous et les fissures dans les murs, les portes, les fenêtres et le toit;

2. mettre en place, si possible, des matériaux et des produits possédant une faible conductibilité, en insérant un isolant dans le toit et les murs extérieurs et en remplaçant les verres simples par des verres doubles ou triples;

3. diminuer l'effet de rayonnement du verre des ouvertures, en appliquant des films réfléchissants sur les fenêtres ou en installant des rideaux.

Note

Lorsqu'on effectue ces interventions, on doit aussi installer dans chacun des logements un système mécanique de ventilation (un échangeur d'air) de façon à contrôler le taux d'humidité et la qualité de l'air.

Résistance R ou RSI

La résistance, par conduction, des assemblages de mur et de toiture correspond à la somme des résistances thermiques des matériaux contenus dans ces assemblages. Plus le chiffre est élevé, plus le matériau ou l'assemblage est résistant au passage, par conduction, de la chaleur.

Normes d'isolation

Bien qu'on encourage l'amélioration de la performance thermique des bâtiments anciens, les codes n'obligent pas les propriétaires à atteindre les valeurs prescrites pour les nouveaux bâtiments. Les anciens systèmes de construction nécessitent d'adopter une approche prudente lorsqu'on veut ajouter des matériaux isolants dans une ancienne enveloppe de bâtiment.

Mesures à adopter pour intervenir dans l'ordre et correctement

1. Consulter un expert, car les solutions ne sont pas évidentes et de mauvaises décisions peuvent avoir de graves conséquences sur le comportement futur des composantes de l'enveloppe de votre bâtiment.

2. Commencer par améliorer l'étanchéité à l'air de toutes les composantes de l'enveloppe du bâtiment (jonctions murs/planchers, joints et fissures dans les murs de fondation, sorties électriques, plafond du dernier étage, portes, fenêtres, trappe d'accès au toit, puits de lumière et autres fissures).

3. Isoler et ventiler le toit si les conditions le permettent (espace de ventilation possible et suffisant au-dessus de la nouvelle couche isolante, étanchéisation possible du plafond sous le toit, et charpente de toit assez solide pour supporter une plus grande charge de neige). Ajouter, selon l'espace disponible dans le plafond ou dans l'entretoit, un matériau isolant choisi en fonction de ces conditions.

4. Restaurer ou remplacer les fenêtres si elles sont dégradées au point de ne pouvoir être restaurées et que vous êtes en mesure de les remplacer par un modèle respectueux du caractère architectural de votre bâtiment.

5. Si possible, isoler les murs par l'extérieur, bien qu'il ne soit pas toujours possible et surtout acceptable, architecturalement, de procéder de la sorte. Cette méthode présente l'avantage de maintenir au chaud les anciens murs et de les empêcher de se dégrader sous l'effet de la condensation et du gel. Il faut toutefois utiliser des isolants qui ne sont pas considérés comme des pare-vapeur posé du côté froid du mur, compte tenu que très peu de bâtiments anciens possèdent un pare-vapeur du côté chaud du mur.

6. Isoler les murs de fondation par l'intérieur si ces murs sont sains, si un drain ou un sol sablonneux maintient la nappe d'eau dans le sol, au niveau des semelles, si les murs sont bien protégés du gel et si la longueur à isoler ne dépasse pas 40 pieds (12 mètres).

7. Isoler les murs extérieurs par l'intérieur est la dernière intervention à effectuer sur une maison en rangée. En effet, la faible surface à isoler, comparée à la surface de fenêtres, rend souvent ce travail peu rentable. Seuls des travaux de rénovation nécessitant un dégarnissage complet des intérieurs justifie cette approche. Toutefois, les murs massifs en maçonnerie doivent avant tout être rendus étanches à l'air. Leur isolation excessive risque de compromettre leur intégrité, surtout s'ils ont une longueur supérieure à 40 pieds (12 mètres) et si la maçonnerie est en mauvais état.

Matériaux d'isolation

On distingue les matériaux isolants selon leur composition, leur résistance thermique, leur perméabilité à la vapeur d'eau, leur résistance au feu et leur méthode d'application. Nous présentons ici les matériaux les plus couramment utilisés dans la rénovation.

Isolant en matelas ou en rouleau

Composition

Fibre de verre et résine phénolique.

Caractéristiques

1. Résistance thermique R moyenne de 3,4 par pouce ; RSI de 0,023 par mm.

2. Grande perméabilité à la vapeur d'eau.

3. Grande absorption d'eau.

4. Peu de résistances mécaniques.

5. Matériau inorganique et incombustible.

Usage

L'isolant en matelas ou en rouleau est utilisé pour isoler les murs et les toitures. Il se pose et est maintenu par friction, entre les colombages, les fermes et les solives. On l'utilise aussi comme absorbant acoustique de hautes fréquences entre les logements.

Pour éviter que cet isolant absorbe trop d'humidité provenant des logements, son utilisation doit s'accompagner d'un matériau pare-vapeur
(de très faible perméance), posé du côté chaud de l'isolant, d'une
ventilation appropriée des logements, de matériaux de forte perméance
du côté froid de l'isolant et d'un fini intérieur étanche à l'air.

isolant en matelas

isolant en rouleau

Isolant en vrac soufflé

Composition

Fibre de verre ou fibre cellulosique avec additifs.

Caractéristiques

1. Résistance thermique R moyenne de 2,9 par pouce pour la fibre
   de verre soufflée, et de 3,6 par pouce pour la fibre cellulosique
   soufflée.
2. RSI de 0,02 par mm pour la fibre de verre soufflée, et de 0,025
   par mm pour la fibre cellulosique soufflée.
3. Grande perméabilité à la vapeur d'eau.
4. Absorption d'une grande quantité d'eau.
5. Résistance au feu plus grande pour la fibre de verre que pour la
   fibre cellulosique.
6. Matériaux se tassant avec le temps.

Usage

On utilise ces deux matériaux pour isoler les toitures à partir d'un entretoit accessible. On isole les murs extérieurs en injectant ces matériaux
entre les colombages et les revêtements intérieur et extérieur, ou entre
le revêtement extérieur et le pare-vapeur broché sur la face intérieure
des colombages. S'il n'y a pas pare-vapeur au toit, on applique deux
couches de peinture-émail sur les anciens plâtres des plafonds.

Isolant rigide

Composition

Produits vendus sous forme de panneaux. On y retrouve la fibre de bois, les produits à base de thermoplastique (polyuréthane, polystyrène expansé ou polystyrène extrudé) et la fibre de verre ou minérale rigide.

Caractéristiques

FIBRE DE BOIS

1. Carton-fibre de 1/2 pouce (12 mm) d'épaisseur.
2. Résistance thermique R de 2,3 par pouce ; RSI de 0,016 par mm d'épaisseur.
3. Panneau également disponible recouvert d'un pare-vapeur d'aluminium. Très bon pare-air/vapeur lorsque ce dernier produit est scellé.

POLYURÉTHANE

1. Panneaux de 1 à 2 pouces (25 à 50 mm) d'épaisseur.
2. Résistance thermique R de 6 par pouce ; RSI de 0,042 par mm.
3. Matériau généralement inséré, en usine, entre deux feuillets d'aluminium.
4. Dégagement de gaz toxiques lorsqu'il brûle (doit être protégé du feu).
5. Bonne résistance mécanique.
6. Absorption de l'eau (ne pas utiliser dans le sol sauf lorsque giclé).
7. Dégradation rapide au soleil.

POLYSTYRÈNE EXPANSÉ

1. Panneaux rigides de 1 à 4 pouces (25 à 100 mm) d'épaisseur.
2. Granules dilatés de thermoplastique blanc moulés sous pression.
3. Résistance thermique R de 4 par pouce ; RSI de 0,028 par mm.
4. Bonne perméance à la vapeur d'eau (n'agit pas comme pare-vapeur).
5. Dégagement de gaz toxiques lorsqu'il brûle (doit être protégé du feu).
6. Absorption de l'eau (ne pas utiliser dans un sol saturé d'eau en raison de ses cellules ouvertes).
7. Faible résistance au poinçonnement pour les types 1 et 2.
8. Dégradation rapide au soleil.

POLYSTYRÈNE EXTRUDÉ

1. Panneaux rigides de 1 à 4 pouces (25 à 100 mm) d'épaisseur.

2. Thermoplastique bleu ou rose, extrudé sous pression.

3. Résistance thermique R de 5 par pouce ; RSI de 0,034 par mm.

4. Faible perméance à la vapeur d'eau (agit comme pare-vapeur de type 2).

5. Dégagement de gaz toxiques lorsqu'il brûle (doit être protégé du feu).

6. Faible absorption de l'eau (peut être utilisé dans un sol saturé d'eau en raison de ses cellules fermées).

7. Forte résistance au poinçonnement.

8. Dégradation rapide au soleil.

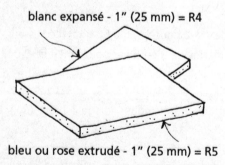

blanc expansé - 1" (25 mm) = R4

bleu ou rose extrudé - 1" (25 mm) = R5

Usage

On utilise surtout ces matériaux pour isoler les dalles sur le sol, les murs de fondation en béton relativement droits et le sol lui-même. Sur les murs de fondation isolés par l'intérieur, le matériau doit être collé pleine surface et protégé contre le feu avec un enduit de ciment ou un panneau de placoplâtre fixé sur des fourrures métalliques incrustées dans l'isolant ou dans ses joints. Un matériau pare-vapeur doit être posé derrière le fini intérieur du mur.

Isolant mousse

Composition

Thermoplastique jaune ou vert moussé sur place par un agent.

Caractéristiques

POLYURÉTHANE MOUSSÉ SUR PLACE

1. Résistance thermique R de 6 par pouce ; RSI de 0,042 par mm d'épaisseur.
2. Matériau à cellules fermées (peut être utilisé dans un sol saturé d'eau).
3. Assez bonne perméance à la vapeur d'eau.
4. Très grande étanchéité à l'air (agit comme pare-air en obstruant les fissures présentes dans les surfaces isolées).
5. Matériau gonflant et chauffant lors de son application.
6. Matériau adhérant à la plupart des matériaux de construction secs.
7. Dégradation rapide au soleil.
8. Dégagement de gaz toxiques lorsqu'il brûle (doit être protégé du feu).

Usage

Ce produit sert à isoler les murs extérieurs et les murs de fondation, en particulier les surfaces irrégulières en maçonnerie. Lorsque les conditions le permettent, on peut l'utiliser pour sceller et isoler au minimum (30 mm maximum de produit), par l'intérieur, les murs extérieurs en maçonnerie. Il doit alors être recouvert d'un produit pare-feu. Un matériau pare-vapeur doit aussi être posé derrière le fini intérieur du mur.

Exemple du calcul effectué pour connaître la résistance thermique R du mur extérieur en carré de madrier recouvert de briques

	R	RSI
Film d'air extérieur	0,17	0,029
Brique d'argile (3 3/4 pouces [95 mm])	0,80	0,14
Espace d'air (1 pouce [25 mm])	0,85	0,15
Papier de construction	0,06	0,01
Madrier de pin (3 pouces [75 mm])	3,75	0,66
Fourrures (espace d'air)	0,91	0,16
Plâtre et lattes	0,40	0,07
Film d'air intérieur	0,68	0,12
Total	**7,62**	**1,34**

RSI est égal à R divisée par 5,678

Pare-vapeur

Fonction

Le pare-vapeur, installé du côté chaud des murs extérieurs et du toit, est un matériau possédant un très faible taux de perméance, au plus 45 nanogrammes de vapeur d'eau par pascal de pression, par seconde et par mètre carré de surface. Cette imperméabilité permet de réduire la vitesse de diffusion des molécules de vapeur d'eau des logements à travers les murs et la toiture du bâtiment. En réduisant la vitesse à laquelle traverse la vapeur, le pare-vapeur réduit la quantité d'eau pouvant s'accumuler, par condensation, dans les parties extérieures froides de ces assemblages et les faire pourrir ou éclater sous l'effet du gel. C'est une composante qui n'est généralement pas présente dans les murs des bâtiments anciens.

Les autres matériaux du mur et du toit doivent posséder, au contraire, une perméance très forte pour permettre à la petite quantité de vapeur d'eau qui réussit à passer de sortir le plus vite possible. On dit alors que les murs et la toiture respirent. La ventilation de l'entretoit et du vide d'air laissé derrière le parement extérieur contribue à assécher les composantes froides de l'enveloppe.

Il faut donc éviter de placer sur la face extérieure des murs extérieurs un matériau de revêtement ou un isolant possédant un faible taux de perméance, car il agirait comme un pare-vapeur placé du côté froid.

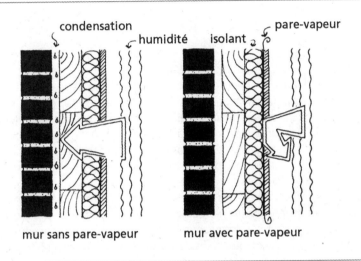

mur sans pare-vapeur   mur avec pare-vapeur

Matériaux

Un pare-vapeur est un matériau qui laisse passer un maximum de 15 nanogrammes de vapeur d'eau par pascal de pression, par seconde et par mètre carré de surface pour un pare-vapeur de type 1, et un maximum de 45 nanogrammes pour un pare-vapeur de type 2. C'est donc un matériau hautement imperméable aux molécules de vapeur d'eau.

La plupart des fabricants de matériaux fournissent aujourd'hui le taux de perméance de leurs produits, en raison de l'importance de cette valeur sur le comportement des enveloppes de bâtiment.

Exemples

Le polyéthylène de 0,15 mm d'épaisseur a un taux de perméance de 1,6 à 5,8 ng.

Le papier d'aluminium renforci a un taux de perméance négligeable de 0,001 ng.

Le polystyrène extrudé de 25 mm a un taux de perméance de 23 à 92 ng selon sa densité.

Le polystyrène expansé de 25 mm a un taux de perméance de 86 à 160 ng selon sa densité.

La mousse de polyuréthane de 25 mm a un taux de perméance de 69 ng.

Pose

Le pare-vapeur est généralement utilisé sous forme de membrane. On le broche, de façon continue, à la charpente du toit et des murs extérieurs, directement sur le matériau isolant, en chevauchant les joints d'environ 6 pouces (150 mm). La diffusion étant un phénomène de surface et le matériau ne devant pas être sollicité par des pressions d'air, il n'est pas nécessaire de sceller le pare-vapeur.

Il existe aujourd'hui des produits isolants et des panneaux de placoplâtre sur lesquels une feuille d'aluminium pare-vapeur est collée en usine (produit sur commande seulement). Lorsqu'on applique ces produits sur les faces intérieures des murs et du toit, on met donc simultanément en place le pare-vapeur.

Autre option

Dans les cas où l'on applique une couche isolante dans un toit ou dans un mur extérieur sans qu'il soit possible d'ajouter une membrane pare-vapeur, il faut appliquer deux couches de peinture-émail ou de vernis sur le fini de plâtre ou de bois. Ces produits offrent une assez bonne résistance au passage, par diffusion de la vapeur d'eau.

Pare-air et étanchéité de l'enveloppe

Sur la base des connaissances acquises dans les années 1970, on n'accordait d'importance qu'au pare-vapeur à intégrer dans les murs et la toiture. Dans les années 1980, on s'est rendu compte que l'étanchéité à l'air d'une enveloppe de bâtiment était aussi importante, sinon plus, que son étanchéité à la vapeur d'eau.

C'est pourquoi les codes de construction exigent aujourd'hui la mise en place, dans les murs et les toitures, d'un assemblage de matériaux pare-air.

Fonctions

Le pare-air a une double fonction. D'une part, il résiste aux pressions mécaniques causées par le vent et par les écarts de température entre l'intérieur et l'extérieur des logements, c'est-à-dire qu'il contrôle les infiltrations d'air froid et les exfiltrations d'air chaud et humide. D'autre part, il réduit les infiltrations d'eau de pluie dans les murs extérieurs, c'est-à-dire qu'il équilibre la pression d'air sur les faces du parement des murs extérieurs ventilés.

Le pare-air prolonge donc la durée de vie des parements extérieurs, tout en réduisant jusqu'à 30 % les coûts de chauffage des logements. De plus, le contrôle des exfiltrations d'air chargé d'humidité est plus important encore que le contrôle, par le pare-vapeur, de la diffusion de cette humidité à travers l'enveloppe. La quantité de vapeur transportée à travers un trou ou une fissure laissée dans un mur ou un toit cause beaucoup plus de dommages qu'un trou percé dans un pare-vapeur.

Mise en garde

Ce travail d'étanchéisation à l'air du bâtiment doit obligatoirement s'accompagner d'une ventilation mécanique de chacun des logements (échangeur d'air).

Propriétés et construction

Le pare-air est un assemblage de matériaux rigides, étanches à l'air, et il doit être le plus continu possible dans l'enveloppe du bâtiment. Tous ces matériaux et leur assemblage doivent résister aux charges mécaniques exercées par le vent. On peut construire le pare-air par l'intérieur ou par l'extérieur. Pour qu'il soit continu, le pare-air doit réunir, par des membranes ou des produits de scellement, les matériaux étanches et rigides des murs, des rives de planchers et du toit, des cadres de fenêtres et de portes, des sorties électriques et des appareils de mécanique. Les portes et les volets des fenêtres doivent aussi contenir des coupe-froid étanches à l'air.

Ventilation de l'entretoit

La ventilation d'un entretoit, ou sa mise à jour, va de pair avec l'isolation d'une toiture. En effet, le nouvel isolant a pour effet de refroidir l'air et les matériaux contenus dans l'entretoit. Cet air, vite saturé par la vapeur d'eau provenant de la maison, favorisera, par condensation sur les surfaces froides, la formation d'eau, de glace et de champignons. Il faut donc accélérer les changements d'air humide de l'entretoit grâce à une meilleure ventilation, tout en améliorant l'étanchéité à l'air et à la vapeur d'eau du plafond situé sous le toit.

Vue en coupe du toit à bassin

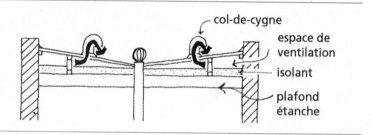

Le toit plat des maisons anciennes était quelquefois isolé avec du sable, des résidus de hauts fourneaux, des algues séchées ou du bran de scie. Ces toits n'étaient pas nécessairement ventilés, sinon par un ou deux cols-de-cygne. Avant d'ajouter un isolant, il faut d'abord s'assurer de laisser au moins 3 pouces (75 mm) entre le dessus de l'isolant et le dessous des chevrons de toit. L'air peut ainsi circuler librement dans toutes les directions du bâtiment et rejoindre les ouvertures de ventilation pratiquées dans la couverture.

Pour les toits dont les pentes sont inférieures à 1/6, il faut prévoir 1 pied carré (90 cm²) de ventilation par 150 pieds carrés (14 m²) de surface de toit (rapport de 1/150). On doit donc calculer le nombre de cols-de-cygne, de 1 pied carré (90 cm²) chacun, nécessaires pour répondre à ces exigences et les répartir sur le contour du toit.

Col-de-cygne

Le col-de-cygne est un ventilateur en métal servant à protéger une ouverture de ventilation pratiquée dans la couverture des intempéries et des rongeurs .

grillage 3 mm

OUVERTURES

Composition d'une porte

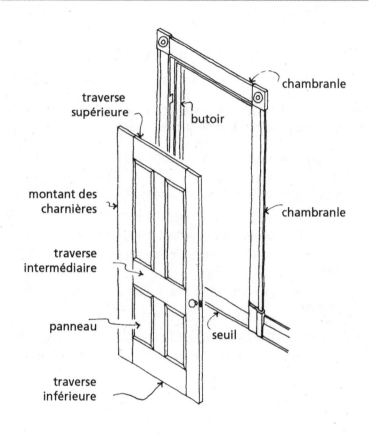

chambranle

traverse supérieure

butoir

montant des charnières

chambranle

traverse intermédiaire

panneau

seuil

traverse inférieure

L'épaisseur d'une porte intérieure est généralement de 1 3/8 pouce (34 mm), tandis que l'épaisseur d'une porte extérieure varie entre 1 3/4 et 2 1/4 pouces (44 à 56 mm). La porte extérieure est généralement vitrée. Les portes sont en bois mou ou en bois franc, et elles sont assemblées à l'aide de tenons, de mortaises et de gougeons.

Types de fenêtre, matériaux, pose, restauration

Le type de fenêtre qu'on trouve sur une maison est intimement lié au style architectural du bâtiment et à sa période de construction. Il en va de même pour les portes. S'il faut remplacer les fenêtres, on doit le faire avec un modèle semblable et de mêmes dimensions.

Voici les cinq types de fenêtre les plus répandus de notre patrimoine, avec ou sans imposte :
- la fenêtre française intérieure et extérieure ;
- la fenêtre française intérieure à simple volet extérieur fixe ;
- la fenêtre intérieure à simple battant et à simple volet extérieur fixe ;
- la fenêtre à guillotine combinée, à l'intérieur, avec une fenêtre française ;
- la fenêtre à guillotine combinée, à l'extérieur, avec une fenêtre française.

Le format et le nombre de carreaux de verre que comportent les fenêtres sont fonction de la taille du vitrage disponible à chacune des périodes de notre histoire.

Plus récemment, les bâtiments ont intégré plusieurs nouveaux types de fenêtre. En voici quelques-uns :
- la fenêtre coulissante à simple ou double vitrage, avec ou sans imposte ;
- la fenêtre fixe combinée à une fenêtre coulissante à simple ou double vitrage ;
- la fenêtre à simple ou double battant, avec ou sans imposte ;
- la fenêtre à auvent combinée à une fenêtre fixe ;
- la fenêtre oscillo-battante.

Le dessin qui suit illustre certains de ces types de fenêtre.

Modèles et proportions de fenêtres

française
et fixe

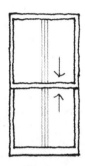

guillotine
et française

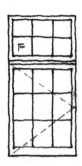

à battant
et fixe

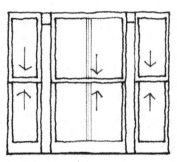

guillotines combinées
et française

française
double

à battants
et fixe

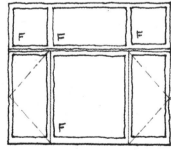

à battants et fixes
avec imposte

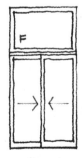

coulissante
et fixe

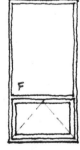

auvent
et fixe

Matériaux

Autrefois en bois peint, principalement en pin, les fenêtres sont aujourd'hui en bois, en bois recouvert de métal, en métal, en vinyle, en polychlorure de vinyle, en fibre de verre ou, parfois même, en une combinaison de plusieurs de ces matériaux.

Fonctions

Les fenêtres permettent avant tout de ventiler, de laisser entrer la lumière et d'établir des relations visuelles entre l'extérieur et les pièces de la maison. Elles font aussi partie intégrante de l'enveloppe du bâtiment. Elles doivent donc offrir une bonne étanchéité à l'air et à l'eau, et leurs composantes doivent être résistantes aux déformations causées par les pressions dues au vent et aux écarts de température.

Performance

On évalue la performance des nouvelles fenêtres en fonction de leur étanchéité à l'air (A), de leur étanchéité à l'eau (B) et de leur résistance aux déformations latérales (C). De plus, il est important de connaître la performance thermique (R) par conduction du verre scellé et de ses composantes. Le Code national du bâtiment classifie la qualité des fenêtres selon trois niveaux de performance : A-1, A-2, A-3 pour l'étanchéité à l'air ; B-1, B-2, B-3 pour l'étanchéité à l'eau ; et C-1, C-2, C-3 pour la résistance à la déformation. Les fenêtres les plus performantes sont classées A-3, B-3 et C-3.

Il faut aussi être attentif à la durée de vie à long terme des composantes de la fenêtre : matériau, scellants, coupe-froid, peinture, etc.

Pose des fenêtres

On insère la fenêtre dans une ouverture légèrement plus grande qu'elle, et qui est laissée dans la charpente du mur et dans le parement. Cet espace permet de mettre la fenêtre à niveau et de fabriquer des joints pouvant offrir différentes caractéristiques.

Comme la fenêtre est l'une des composantes de l'enveloppe du bâtiment et qu'elle fait partie du pare-vapeur, du pare-air et de l'écran pare-pluie, la confection des joints entre le mur et la fenêtre doit assurer la continuité de ces trois fonctions. Les matériaux utilisés et leur position autour de la fenêtre doivent donc permettre une bonne résistance au passage de la vapeur d'eau, de l'air et de l'eau.

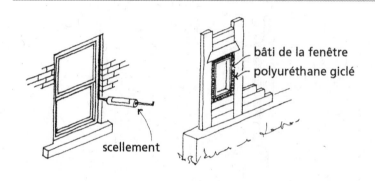

bâti de la fenêtre
polyuréthane giclé
scellement

Restauration des fenêtres

Après avoir évalué les dommages causés par le temps aux composantes des fenêtres en bois (pourriture des cadres et des volets, écaillage de la peinture, bris des cordes des contrepoids, des guides, etc.), on doit estimer les coûts liés à leur restauration et à l'amélioration de leur étanchéité à l'air. En règle générale, il est à la fois plus économique et plus écologique de réparer les fenêtres que de les remplacer. De plus, la réparation permet de sauvegarder le caractère architectural du bâtiment. Avant de prendre une décision, il faut toutefois évaluer l'ensemble des facteurs à envisager : accès à des artisans de qualité, nombre de fenêtres, coûts de chauffage comparés au coût de remplacement, valeur patrimoniale, entretien, etc.

Dans le cas de fenêtres en bois en assez bon état, il faut surtout s'assurer d'installer de bons coupe-froid encastrés à la fois dans les volets et les cadres. Il suffit alors de remplacer les volets les plus détériorés par de nouveaux volets fabriqués en usine. S'il est possible de retirer délicatement les moulures décoratives autour des cadres, il est alors recommandé de sceller le joint entre la charpente du mur et le cadre de la fenêtre.

Composition d'une fenêtre ancienne

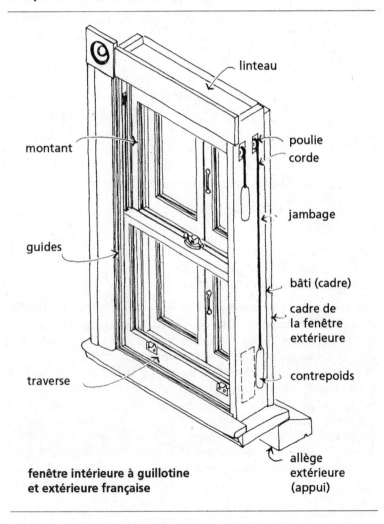

linteau

montant

poulie
corde

guides

jambage

bâti (cadre)

cadre de
la fenêtre
extérieure

traverse

contrepoids

**fenêtre intérieure à guillotine
et extérieure française**

allège
extérieure
(appui)

FINITION INTÉRIEURE

Murs recouverts de plâtre

Dans la plupart des maisons de ville anciennes, les murs et les plafonds étaient finis en plâtre, un excellent matériau pare-feu. Un premier fond de mortier d'environ 1/2 pouce (12 mm) d'épaisseur était fixé sur et entre des lattes de bois espacées d'environ 1/4 pouce (6 mm), formant ainsi des clés empêchant le mortier de se décoller des lattes. Pour la finition du mur, on utilisait une mince couche de plâtre de Paris.

Coupe verticale du mur

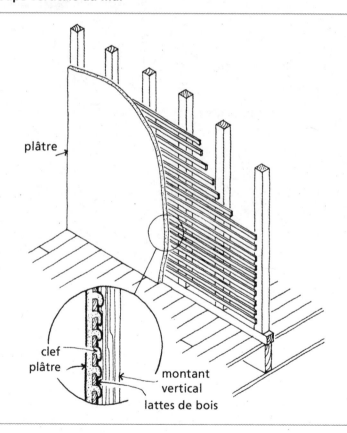

plâtre

clef
plâtre

montant
vertical

lattes de bois

Aujourd'hui, on visse directement des panneaux de placoplâtre de différentes épaisseurs aux charpentes des murs et des plafonds, et leurs joints sont scellés.

Le fond de mortier sur lattes des anciens finis de plâtre a d'abord été remplacé, dans les années 1940, par des petits panneaux préfabriqués de plâtre (*Rocklath*) recouverts d'un papier perforé. D'une épaisseur de 3/8 pouce (9 mm), ces panneaux étaient cloués à la charpente et recouverts d'une même épaisseur de plâtre de Paris.

Murs recouverts de placoplâtre

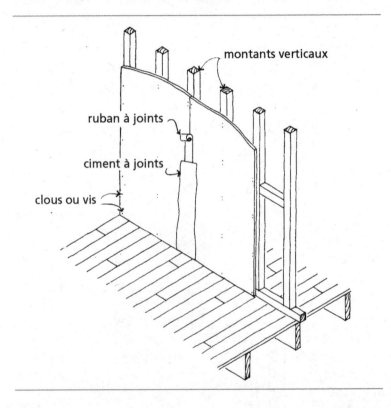

montants verticaux

ruban à joints

ciment à joints

clous ou vis

Depuis les années 1950, les entreprises ont remplacé cette méthode de panneaux et de plâtre par la fabrication de grands panneaux de placoplâtre de finition de différentes épaisseurs, qui sont d'abord cloués puis, plus tard, vissés directement aux charpentes en bois. Les joints entre les panneaux sont réalisés à l'aide d'un ruban de papier ou de fibre de verre inséré entre deux couches de ciment à joints et recouverts d'une troisième couche de finition. Les panneaux rectangulaires peuvent être posés horizontalement ou verticalement sur la surface des murs.

SERVICES

PRINCIPES GÉNÉRAUX

Le rôle des services intégrés à un bâtiment est de distribuer à l'ensemble des logements les éléments nécessaires au confort des occupants : eau potable, rejet des eaux usées, éclairage artificiel, énergie électrique, contrôle de la température intérieure, renouvellement de l'air des salles de bains et, si nécessaire, gestion mécanique de la qualité de l'air de chacune des pièces du logement.

On parle donc ici du système de plomberie, du système électrique, du système de chauffage, du système de ventilation statique ou mécanique des salles de bains ou de l'ensemble des pièces des logements dans le cas où des travaux majeurs de rénovation sont effectués. En effet, le Code du bâtiment exige aujourd'hui qu'un logement ou une maison entièrement rénovée et rendue étanche à l'air soit munie d'un appareil et des conduits permettant un renouvellement permanent de l'air intérieur de chacune des pièces.

Comme nous l'avons déjà mentionné, lorsqu'on rend l'enveloppe d'un bâtiment étanche à l'air et à la vapeur d'eau, cela a pour conséquences : une hausse du taux d'humidité dans les logements, une diminution du renouvellement d'air et de l'oxygène, la création de conditions favorables à l'apparition de condensations sur les surfaces froides des murs et des fenêtres et au développement de bactéries, de champignons et de maladies s'y rattachant.

Ces services – eau, électricité, ventilation mécanique – sont distribués grâce à un ensemble de canalisations qui circulent généralement à l'intérieur des murs et des planchers. C'est pourquoi la réparation ou le remplacement complet d'un système entraîne de nombreux frais additionnels, liés par exemple aux travaux de soufflage et de finition.

Ces services doivent répondre efficacement aux besoins des occupants, mais ils doivent aussi être sécuritaires et conformes aux codes de construction en vigueur.

Nous allons voir dans les pages qui suivent comment fonctionnent ces systèmes et quels principes ils doivent respecter.

PLOMBERIE

Fonctions principales

Le système de plomberie se compose d'un ensemble de tuyaux et d'accessoires servant à alimenter un certain nombre d'appareils sanitaires, à diriger les eaux usées vers les égouts municipaux et à ventiler le réseau. L'installation d'un système doit respecter certaines normes si l'on veut obtenir une pression satisfaisante, prévenir les fuites, faciliter le drainage, éviter l'obstruction des tuyaux et éliminer les risques de la contamination.

Règle

Les tuyaux et leurs raccords doivent être faits en matériaux pouvant résister à l'action corrosive de l'eau, tout en étant sécuritaires pour la santé.

Les joints entre les tuyaux doivent être étanches à l'eau, résister à la pression fournie par la municipalité ou la pompe du puits et ne pas contenir de produits toxiques.

Les tuyaux de renvoi, hors terre et souterrains, doivent être conformes aux normes en vigueur, être ventilés par des évents et permettre une évacuation rapide des eaux usées.

Le diamètre (en pouce) des tuyaux d'alimentation et de renvoi doit répondre aux exigences du Code de la plomberie du Québec pour chacun des appareils.

Il doit y avoir une soupape d'arrêt avec purgeur, protégée du gel et située au début du réseau de distribution d'eau du bâtiment, pour permettre de fermer et de vider le réseau principal de l'édifice.

Alimentation en eau

Branchement principal

L'eau qui provient de l'aqueduc municipal est distribuée dans des tuyaux de 1/2 à 1 1/4 pouce de diamètre. Ces tuyaux, autrefois en plomb, en acier galvanisé, en fonte grise ou en fer noir, sont aujourd'hui en cuivre.

C'est à partir de cette entrée principale, située dans le mur de fondation, que l'eau est acheminée dans le réseau de chacun des logements du bâtiment. Chaque réseau doit posséder sa soupape d'arrêt, et la grosseur de tuyau doit être calculée selon la demande.

Soupape d'arrêt de la conduite principale

Dès que la conduite d'eau de la Ville traverse le mur de fondation du bâtiment, elle est munie d'une soupape d'arrêt avec purgeur. Cette soupape sert à interrompre l'alimentation en eau du bâtiment et à vider le système de distribution. Il faut éviter de la couvrir avec un matériau isolant, tout en la conservant assez chaude pour ne pas qu'elle gèle.

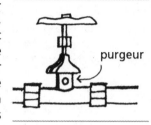

purgeur

Chauffe-eau

À partir de la soupape d'arrêt principale, le tuyau d'alimentation desservant chacun des logements se rend au chauffe-eau, tout en bifurquant vers les autres appareils et en suivant le tuyau d'eau chaude sortant du chauffe-eau. Une soupape d'arrêt située à l'entrée du réservoir facilite la vidange ou le remplacement du réservoir.

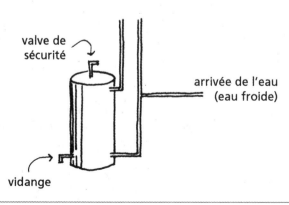

vers les appareils

valve de sécurité

arrivée de l'eau (eau froide)

vidange

Tuyaux d'alimentation

Autrefois, les tuyaux d'alimentation des appareils étaient en acier galvanisé à bouts filetés ou en plomb. Les joints étaient vissés, et l'étanchéité des filets était assurée par un produit quelconque, souvent de la peinture-émail. Dans le cas des tuyaux de plomb, les joints étaient soudés.

Aujourd'hui, on utilise soit le tuyau de cuivre soudé avec un alliage sans plomb, soit le tuyau de polyéthylène (PE) avec raccords en laiton ou en cuivre et bagues en plastique comprimées, soit le tuyau et ses raccords collés de chlorure de polyvinyle chloré (CPVC) et le tuyau flexible tissé pour le branchement hors mur des appareils.

Tout en étant plus coûteux à l'achat, les tuyaux de cuivre entraînent moins de frais lors de l'installation, les joints se faisant plus rapidement, et offrent une meilleure garantie quant à la durée de vie de leur étanchéité. C'est un facteur important à considérer compte tenu qu'ils circulent dans les murs et les planchers et qu'ils sont difficiles d'accès pour d'éventuelles réparations.

Il est aujourd'hui recommandé d'isoler le réservoir à eau chaude ainsi que les tuyaux d'alimentation qu'il dessert, surtout lorsque les appareils desservis sont très éloignés du réservoir.

Soupape d'arrêt au logement et aux appareils

En plus de la soupape d'arrêt installée à l'entrée de la maison, il est recommandé d'installer une seconde soupape dans chacun des logements en cas de dommages à la plomberie n'affectant qu'un seul logement.

Sauf dans le cas d'une maison individuelle, le Code de plomberie exige qu'une soupape d'arrêt soit installée sur le tuyau d'alimentation d'un cabinet d'aisances et d'un réservoir à eau chaude. Il est d'ailleurs de plus en plus courant de munir l'ensemble des appareils d'un logement d'une soupape d'arrêt afin de faciliter leur entretien et leur remplacement.

Drainage des eaux usées

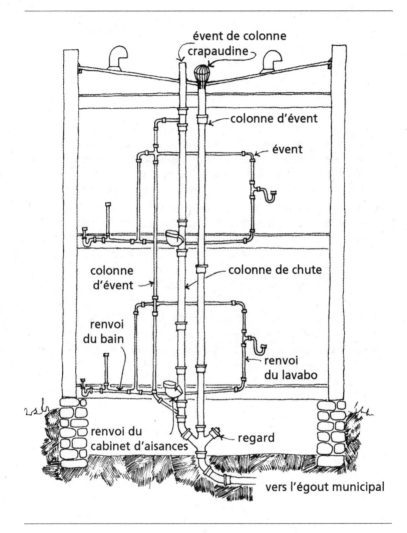

Ici, la colonne de chute est accompagnée d'une colonne d'évent servant aussi à drainer le toit. Dans les maisons anciennes, un seul tuyau servait à la fois de colonne de chute et d'évent. L'ajout de nouveaux appareils oblige aujourd'hui à ajouter une colonne d'évent distincte.

Renvois

Chaque appareil possède un renvoi qui canalise, par gravité, les eaux usées vers la colonne de chute. Dans les bâtiments anciens, la colonne de chute sert de drain de toit et de colonne d'évent. Aujourd'hui, le Code de plomberie du Québec exige des colonnes distinctes pour chacune de ces fonctions, d'autant que certaines municipalités possèdent un réseau d'égouts pluviaux distinct du réseau d'égouts des eaux usées.

Les renvois sont des tuyaux de 1 1/4 à 4 pouces de diamètre, à la fois en cuivre, en fonte, en grès et, aujourd'hui, en plastique. Les tuyaux de plastique enterrés doivent être en PVC non plastifié, tandis que ceux situés hors terre sont en ABS-DWV. Le diamètre des renvois est établi en fonction du type et du nombre d'appareils desservis. Les renvois sont installés selon des pentes plus ou moins fortes en fonction de leur diamètre, ce qui facilite l'évacuation rapide des eaux usées vers la colonne de chute.

Dans les bâtiments anciens, la colonne de chute est un gros tuyau vertical en fonte de 4 pouces de diamètre qui canalise vers les égouts municipaux les eaux usées des appareils sanitaires environnants. Quand les salles de bains sont éloignées des cuisines, une seconde colonne de chute de 2 à 3 pouces de diamètre dessert les éviers et rejoint au sous-sol la colonne principale.

La colonne de chute principale se poursuit, horizontalement dans le sol du vide sanitaire ou de la cave, jusqu'aux égouts de la Ville. Elle est soit en fonte, soit en grès.

Le tuyau de grès a toutefois l'inconvénient d'offrir peu de résistance aux rongeurs et il doit être remplacé par un tuyau de fonte ou de plastique. Il est nécessaire de prévoir un clapet anti-retour lorsqu'on installe des drains de plancher ou une salle de bains au sous-sol du bâtiment.

Évents

Les évents servent à chasser à l'extérieur du bâtiment les gaz et les bactéries contenus dans le système, ainsi qu'à conserver une pression atmosphérique constante dans le système afin d'accélérer l'évacuation et de maintenir l'eau dans les siphons. Le diamètre des tuyaux du réseau de ventilation varie entre 1 1/4 et 4 pouces, selon la charge hydraulique individuelle et totale des appareils.

Pour qu'un tuyau se vide à l'une extrémité, l'air doit entrer à l'autre extrémité par un évent. Pour comprendre ce principe, on peut comparer le tuyau à une boîte de conserve de jus : il faut pratiquer deux ouvertures pour la vider de son contenu. D'un côté, le jus se vide, et de l'autre, l'air entre dans la boîte et rétablit la pression atmosphérique. Si l'on ne fait qu'un trou, le jus ne coule pas normalement. Un appareil de plomberie qui se libère de son eau sans qu'un évent permette l'entrée d'air dans le système crée un vide qui aspire l'eau contenue dans le siphon d'un autre appareil afin d'y chercher de l'air.

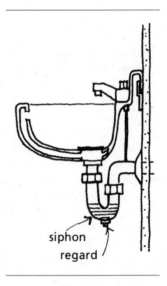

siphon

regard

Le siphon doit toujours être rempli d'eau. Cela empêche les odeurs et les bactéries contenues dans les égouts de se répandre à l'intérieur du logement.

Regard de nettoyage

Les regards de nettoyage, situés autant sur le réseau principal que sur le réseau secondaire des renvois, servent d'accès pour éliminer tout ce qui pourrait obstruer les renvois. On les trouve normalement au pied des colonnes de chute, à la sortie du renvoi principal vers les égouts de la Ville et sous les siphons des appareils.

SYSTÈME ÉLECTRIQUE

Principes

L'énergie électrique est distribuée grâce à un coffret de branchement et à des fils de différentes grosseurs. La grosseur d'un fil dépend de la quantité de courant (nombre d'ampères) qui doit le traverser sans qu'il surchauffe. On dira par exemple qu'un fil n° 14 a une capacité de 15 ampères, ce qui signifie qu'il peut laisser passer 15 ampères de courant de façon sécuritaire.

Pour pouvoir circuler jusqu'aux appareils, le courant doit arriver sous pression : c'est le voltage. Dans nos maisons, le courant arrive sous une pression de 110 volts. On peut comparer le voltage à la pression d'eau dans un tuyau, et l'ampérage à la quantité d'eau qui circule dans le tuyau.

Le watt est l'unité de mesure indiquant la puissance d'un appareil électrique. En connaissant la puissance de l'appareil, on peut déterminer la quantité de courant qu'il faudra lui fournir pour qu'il fonctionne sur le 110 volts ou le 220 volts.

$$\text{Ampères} = \frac{\text{watts}}{\text{volts}}$$

Pour les appareils d'une grande puissance (chauffe-eau, plinthe chauffante, sécheuse, cuisinière, etc.), on augmente le voltage (ou pression) à 220 volts. Ainsi, la demande de courant (ou ampères) est réduite.

Exemple : plinthe chauffante de 1000 watts

sur le 110 volts : $\dfrac{1000}{110} = \pm 9$ ampères

sur le 220 volts : $\dfrac{1000}{220} = \pm 4{,}5$ ampères

La somme (en ampère) des demandes des appareils prévus à l'intérieur d'un bâtiment permet de déterminer la grosseur de l'entrée électrique (100, 125, 150, 200 ampères) et la grosseur des composants de branchement.

Comme ces appareils ne fonctionnent pas tous en même temps, le Code de l'électricité du Québec fixe des règles et des pourcentages de puissance à calculer pour obtenir un résultat réaliste de la quantité de courant à fournir au bâtiment. C'est ce qu'on appelle le calcul de la charge totale d'un bâtiment.

Entrée électrique

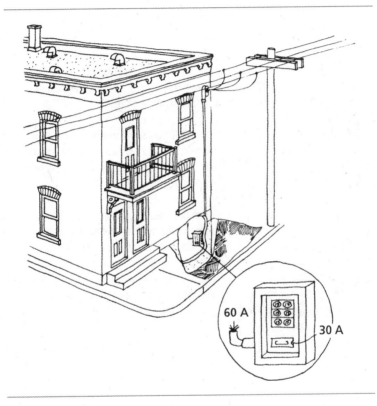

La charge totale (en ampère) nécessaire pour le bâtiment détermine la grosseur du fil de branchement, du mât et du panneau de dérivation (boîte de fusibles). Des installations trop faibles pour la demande actuelle sont souvent la cause d'incendies.

Le courant électrique arrive à la maison par des câbles aériens ou souterrains, passe dans un compteur, puis se rend au panneau de dérivation qui le répartit dans plusieurs circuits.

Dans les bâtiments anciens, on trouve généralement des entrées électriques de 30 ou 60 ampères, ce qui correspondait aux besoins de l'époque.

Lorsqu'on déplace une entrée et un panneau de 60 ampères et que la charge totale du logement ne dépasse pas cette capacité, il est permis de maintenir cette entrée à 60 ampères, mais le panneau doit posséder un minimum de 16 circuits (dérivations) de façon à mieux partager la distribution électrique dans le logement.

Dans les bâtiments rénovés et dans les nouveaux bâtiments, on installe généralement des entrées électriques d'une capacité variant entre 100 et 200 ampères, ainsi qu'un plus grand nombre de circuits (24 à 30 dérivations avec disjoncteurs automatiques), afin de distribuer cette nouvelle énergie de façon équilibrée et sécuritaire.

La distribution du courant disponible pour alimenter les prises de courant, les luminaires et les éléments de chauffage contenus dans le bâtiment, se fait par l'intermédiaire des circuits disponibles dans la boîte de dérivation (16, 24 ou 30 circuits).

Cette distribution obéit à des règles précises fixées par le Code de l'électricité du Québec. Ces règles déterminent, entre autres, le nombre, le type et la disposition des prises de courant dans chacune des pièces du logement. Elles précisent aussi le type de branchement à fournir selon la puissance des appareils prévus. De plus, elles prescrivent le nombre de prises et d'ampoules pouvant être raccordées à un même circuit, ainsi que le type de fusibles ou de disjoncteurs devant les protéger d'une surcharge.

Distribution sur un circuit d'alimentation

Un circuit d'alimentation de 110 volts (ou dérivation) pour usage général, comme celui qui est présenté ci-après, part d'un fusible ou d'un disjoncteur de 15 ampères, sort du panneau et parcourt la distance nécessaire pour alimenter cinq prises de courant et trois ampoules. Dans ce cas, le Code limite à un total de 12 le nombre de sorties autorisées. Les interrupteurs ne sont pas comptés comme sorties de distribution.

En vertu du Code, certains circuits de 110 volts (15 ampères) et de 220 volts (30 ampères) ne doivent alimenter qu'une seule prise ou qu'un seul appareil. C'est le cas, par exemple, pour l'alimentation d'une sécheuse, d'une cuisinière, d'un réfrigérateur, etc.

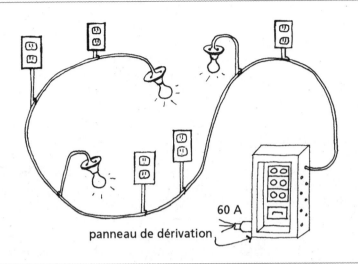

panneau de dérivation

60 A

Fusible ou disjoncteur

Chaque circuit d'alimentation est protégé par un fusible, aujourd'hui remplacé par un disjoncteur automatique. Le circuit est calibré pour l'ampérage qu'il transporte. En cas de demande excédant la capacité du fil ou en cas de court-circuit dans le système, le courant est interrompu jusqu'à ce qu'on ait découvert la cause et qu'on y ait remédié. Sans cet instrument de coupe, le fil chaufferait et pourrait provoquer un incendie. C'est pour cette raison qu'on doit respecter le calibre et le modèle de fusible exigé.

CHAUFFAGE

Dans les maisons anciennes, on trouve généralement deux systèmes de distribution de la chaleur. Le premier distribue, par convection et rayonnement, la chaleur produite par une fournaise murale au centre du logement. Le second système distribue la chaleur d'une fournaise par de l'eau chaude circulant dans des conduites et des radiateurs situés dans chacune des pièces. Ces systèmes sont alimentés en énergie par le bois, le mazout ou le gaz.

Bien sûr, depuis 30 ans, plusieurs systèmes de chauffage ont été mis au point à la fois pour diminuer les coûts de chauffage des maisons et pour améliorer le confort. Ces systèmes ne sont toutefois pas tous compatibles avec les conditions spatiales et environnementales qu'on trouve dans les bâtiments résidentiels anciens. C'est ce qui explique la popularité des plinthes électriques comme première génération de système dans les bâtiments à logements multiples.

Fournaise murale

Ce système a pour inconvénient de concentrer la chaleur au centre de la maison et de mal desservir certaines pièces, ce qui amène les propriétaires ou les locataires à recourir à des éléments électriques de chauffage qui sont branchés sur des circuits de 15 ampères déjà surchargés par la demande.

Cette amélioration est dangereuse en raison de la faible capacité de plusieurs entrées électriques. La plupart du temps, cela amène les propriétaires à installer une nouvelle entrée électrique pouvant fournir l'énergie nécessaire à des plinthes chauffantes fixes, installées dans chacune des pièces. Il faut, autant que possible, installer ces plinthes fixes sous les portes vitrées ou les fenêtres de manière à combattre, par la convection que crée l'élément, le rayonnement froid provenant de la surface vitrée de l'ouverture. La capacité en watt de l'élément devrait correspondre, au minimum, au nombre de pieds cubes de la pièce à chauffer (± 36 watts/m³).

Si la fournaise convient aux besoins des occupants, il faut respecter certaines règles de distance entre la fournaise et la cheminée. Une certaine distance doit également être respectée entre le plafond et le dessus du tuyau, celle-ci variant selon le type de fournaise et de combustible utilisés. On devrait consulter son assureur ou le fabriquant de la fournaise pour obtenir les distances sécuritaires recommandées par chacun.

Longueur de tuyau à respecter

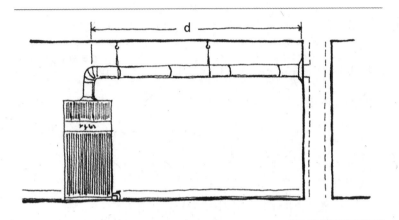

La distance « d » maximum à respecter entre la fournaise murale et la cheminée varie selon les étages :

- rez-de-chaussée : 24 pieds (8 m);
- deuxième étage : 18 pieds (6 m);
- troisième étage : 12 pieds (4 m).

Système central à eau chaude

Après avoir été chauffée par les parois de la chaudière, l'eau contenue dans le système se déplace par gravité. Elle monte dans les tuyaux et les radiateurs et retourne, froide, dans la chaudière. Le brûleur était initialement alimenté en énergie par le mazout ou le charbon. Aujourd'hui, c'est le mazout, le gaz ou l'électricité qui alimente le brûleur.

Le système est généralement accompagné d'un réservoir d'expansion afin d'absorber l'augmentation de la pression créée par la dilatation de l'eau chauffée. Les anciens systèmes contenaient une valve permettant de remplacer l'eau perdue. Il y en a toutefois très peu qui se perd, ce qui limite la quantité d'oxygène qui s'ajoute à l'eau contenue dans le

système. Cet avantage a pour effet de réduire au minimum la détérioration par la rouille des radiateurs et des tuyaux. Ces systèmes ont ainsi
une très longue durée de vie, et on recommande de les conserver.

Les radiateurs fournissent une grande partie de la chaleur par convection (réchauffement de l'air). Une autre partie, assez importante, est
fournie par le rayonnement du métal. Avec le temps, en raison du
phénomène de réchauffement/refroidissement de l'eau, un peu d'air
pénètre dans le système et cause beaucoup de bruit. Il faut donc
purger le système par les saignées présentes sur les radiateurs, ce qui
permet à l'air d'en sortir.

Saignée : ouverture qui sert à chasser l'air contenu dans les radiateurs.

L'amélioration de l'efficacité de ce type de système passe d'abord par
l'amélioration de la combustion du mazout par le brûleur. On peut
installer une tête de retenue de flamme et réduire la capacité du gicleur
ou encore modifier la chambre de combustion afin d'obtenir un
meilleur rendement sans remplacer la bouilloire.

On peut ensuite brancher une pompe circulatrice sur le système pour
améliorer la vitesse de mouvement de l'eau chaude et établir un
meilleur équilibre dans le confort transmis à chacune des pièces. Sur
certains systèmes, il est aussi possible d'installer des valves thermosta-
tiques sur chacun des radiateurs et un thermostat dans chacune des
pièces pour contrôler un peu mieux la température de celles-ci. On peut
également, en installant un régulateur appelé « aquastat », faire varier
la température de l'eau du système en fonction de la température
extérieure, ce qui évite les surchauffes de la maison et réduit d'autant
la consommation.

Le mazout peut aussi être remplacé par l'électricité. Dans ce cas, on remplace la chaudière par un appareil beaucoup plus compact et contenant un ou plusieurs éléments électriques immergés dans l'eau. Des relais, fournissant l'énergie selon la demande des occupants, sont incorporés à cette mini-bouilloire.

Système central à air chaud

Dans les maisons anciennes possédant un sous-sol accessible, le système central à air chaud a souvent remplacé la fournaise murale au mazout ou au gaz, en particulier pour le chauffage du logement du rez-de-chaussée ou dans le cas d'une maison unifamiliale de deux étages.

Le système central à air chaud comprend une chaudière au mazout, au gaz ou à l'électricité, un ventilateur, un filtre et un réseau de conduits d'alimentation d'air chaud et de retour d'air frais. Ce réseau circule dans les planchers et les murs et distribue l'air par des registres ajustables. Il permet de purifier l'air de la maison, de l'humidifier si nécessaire, de le renouveler par une prise d'air extérieur munie, aujourd'hui, d'un échangeur d'air et, éventuellement, d'ajouter un climatiseur. Un thermostat central contrôle la température de la maison.

Ces systèmes sont de nos jours améliorés grâce à la mise au point de chaudières au gaz, au mazout, au bois ou à l'électricité plus performantes sur le plan énergétique.

On peut aussi remplacer la chaudière par une thermopompe air/air qui, tout en produisant une certaine quantité de chaleur, peut climatiser la maison en été. Il en va de même pour les pompes à chaleur géothermiques.

Il faut donc étudier de façon approfondie chacune des options qui sont offertes aujourd'hui. Outre le confort accru que procure un système en particulier, il faut évaluer les coûts initiaux des transformations envisagées, les coûts d'entretien annuels, et comparer ces résultats avec les économies à long terme que le système permettra de réaliser.

Chauffage par rayonnement

Dans les maisons anciennes, les foyers, les poêles à bois et les radiateurs à eau chaude produisaient une grande quantité de chaleur par rayonnement. Cette énergie était toutefois concentrée autour ou près de l'appareil de chauffage.

Le principe du chauffage par rayonnement des surfaces consiste à mettre en place, dans ou sous le plancher, ou encore dans un plafond, un serpentin de tuyaux à eau ou de fils chauffants qui, par rayonnement de leur surface, chauffent la pièce et ses habitants. Ce système a pour avantage de ne créer aucune contrainte pour l'aménagement. Comme les plinthes électriques, il permet de contrôler la température de chacune des pièces. Il ne permet toutefois pas de contrôler la qualité de l'air du logement.

Ce système est d'autant plus efficace qu'il y a des matériaux d'enfouissement, tels que le béton et la céramique, pouvant accumuler la chaleur du serpentin et la redistribuer uniformément. Il faut cependant prévoir l'introduction d'un matériau isolant de façon à ne pas chauffer la pièce située au-dessous ou au-dessus du système.

Ce système est surtout utilisé pour les sous-sols transformés en pièces habitables, pour les logements situés au-dessus d'un vide sanitaire ou pour les planchers de salles de bains.

Chauffage de l'eau domestique

Le chauffage de l'eau domestique représente une part importante de la consommation énergétique d'une maison. Les premiers systèmes comprenaient un réservoir vertical branché à un réseau de tuyaux qui alimentaient un serpentin fixé autour d'un brûleur au mazout. Le brûleur pouvait chauffer simultanément une bouilloire centrale à eau chaude ou une cuisinière.

Sauf pour les systèmes intégrés qui, comme autrefois, n'utilisent qu'un seul brûleur pour le chauffage de l'eau et de la maison, la plupart des réservoirs ont leur propre brûleur, indépendant du système de chauffage de la maison. Ces réservoirs sont alimentés au gaz, au mazout, à l'électricité ou à l'énergie solaire.

L'amélioration du système se fait principalement par l'ajout d'une couche supplémentaire d'isolant autour du réservoir et par l'isolation des longues conduites menant aux appareils desservis. Il est aussi recommandé d'utiliser des têtes de douche réduisant la consommation d'eau.

PROBLÈMES ET SOLUTIONS

MISE EN GARDE

Évitez d'appliquer sans discernement les solutions proposées dans cette deuxième partie.

Les problèmes qui surgissent sont presque toujours particuliers, et les solutions applicables sont multiples.

Comme en médecine, le diagnostic à poser pour identifier un problème technique implique une démarche consistant à évaluer l'ensemble des symptômes, à comprendre les différentes causes, et à envisager toutes les solutions possibles avant d'en retenir une. C'est pourquoi nous vous offrons, au début de chaque cas traité, une liste des causes susceptibles d'être identifiées.

De plus, assurez-vous que la solution que vous privilégiez respecte les principes de base énumérés dans la première partie du présent volume. Dans le doute, consultez un architecte ou un expert reconnu.

INTRODUCTION

Problèmes et solutions

Dans cette deuxième partie, nous traitons d'un certain nombre de problèmes que nous avons pu identifier et résoudre au cours de nos nombreuses interventions dans le domaine de la rénovation et de la restauration de bâtiments, ou qui nous ont été transmis par des collègues appelés à régler des problèmes de même nature.

Il va de soi que seulement une infime partie des problèmes potentiels sont couverts ici. Par expérience, nous savons que chaque maison, chaque chantier présente toujours de nouveaux problèmes. L'exercice consistant à poser un diagnostic éclairé en se fondant sur les différents symptômes identifiés est toujours de mise.

Les problèmes traités ici sont toutefois assez courants pour faire l'objet d'une analyse et d'un traitement qu'on peut considérer comme généralisables. Il ne faut toutefois pas perdre de vue la nécessité d'analyser chaque situation en toute objectivité, sans tirer des conclusions ou appliquer des solutions toutes faites.

La démarche nécessaire pour répondre le plus correctement possible au problème rencontré consiste d'abord à s'informer sur l'histoire du bâtiment, sur ce qui a été fait au début et à la suite de sa construction, ainsi que sur les interventions ou les travaux récents qui pourraient être liés au problème rencontré.

C'est donc cette vue d'ensemble, cette analyse de la situation passée et présente, qui peut nous mener à une compréhension éclairée du problème et à une réponse adéquate.

Pour y arriver, vous devez au préalable vous être familiarisé avec les grands principes sur lesquels repose la construction d'une maison et connaître assez bien les techniques de mise en œuvre des principales composantes de votre bâtiment. C'est l'objet de la première partie de ce livre, à laquelle vous devrez constamment vous référer pour traiter les questions soulevées par l'entretien et la rénovation de votre maison.

FONDATION

PROBLÈMES ET CAUSES

La fondation (les murs et les semelles des murs et des colonnes) répartit sur le sol toutes les charges provenant de la maison. C'est pourquoi un problème de fondation a des conséquences graves sur les éléments de la charpente, de l'enveloppe et de la finition intérieure. Il importe donc de régler d'abord les problèmes de fondation et de sol, qui sont souvent reliés, avant de s'attaquer à leurs conséquences sur les autres parties de la maison.

Pour vous aider à identifier l'origine de vos problèmes de fondation, voici une liste des principaux éléments pouvant être en cause :

1. une distribution inégale des charges de la maison sur les murs et les colonnes de la fondation;

2. un mur de fondation trop faible pour résister aux poussées latérales provenant du sol et du gel de celui-ci;

3. une surface de semelle trop petite par rapport à la résistance du sol et à la charge appliquée;

4. un changement brusque dans la composition du sol et sa capacité portante;

5. une semelle déposée sur différents types de sol;

6. un sol argileux qui s'assèche inégalement en raison d'une baisse du niveau de la nappe d'eau du secteur environnant ou de la présence d'arbres à croissance rapide;

7. un mauvais drainage de l'eau dans le sol entourant le bâtiment;

8. un mur ou une semelle posés trop près de la surface du sol pour être protégés des effets du gel et du dégel;

9. un béton faible en ciment, peu étanche, et un sol saturé d'eau qui modifie les propriétés du mur de fondation.

Infiltration d'air dans les murs de pierre

Les murs de fondation en pierre remontant au-dessus du sol fini ont souvent des joints de mortier de chaux effrités et creusés par l'eau et le gel, autant sur les faces intérieures qu'extérieures.

Ces déficiences facilitent le passage de l'eau et, surtout, de l'air froid provenant de l'extérieur, tout en affaiblissant les murs eux-mêmes. Comme les infiltrations d'air froid se concentrent dans les parties basses du bâtiment, il est recommandé de faire reprendre les joints détériorés plutôt que d'isoler les murs. En effet, les pertes de chaleur par infiltrations/exfiltrations sont très importantes dans un bâtiment ancien, et il importe en premier lieu d'améliorer l'étanchéité à l'air de leur enveloppe.

L'isolation de tels murs requiert plusieurs conditions favorables, surtout quand, ce qui est le cas le plus fréquent, on veut les isoler par l'intérieur. Cela a pour effet de faire geler les murs et le sol environnant, ce qui peut contribuer à la dégradation des murs. Cette intervention délicate est traitée au deuxième point.

Solutions

1. REMPLIR LES JOINTS

Lorsqu'on est en présence de simples pierres empilées, il est possible de remplir les joints, en deux ou trois étapes, avec un mortier à base de ciment et de chaux, et ce, jusqu'à une profondeur de 2 pouces (50 mm). Dans le cas où du mortier est présent dans le joint, il est recommandé de le creuser sur une profondeur d'environ 1 1/2 à 2 pouces (38 à 50 mm), selon la largeur du joint, et de bien lisser le mortier tout en le dégageant, légèrement en retrait de la surface des pierres.

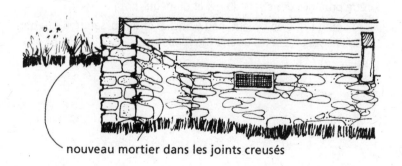

nouveau mortier dans les joints creusés

2. COUVRIR LA SURFACE INTÉRIEURE DES MURS

S'il n'y a pas d'infiltrations d'eau dans les murs, si le sol autour du bâti-ment est bien drainé et si le bas des murs est assez profond pour être bien protégé du gel, on peut envisager de sceller ces murs avec un isolant mousse giclé. La technique ne consiste pas à isoler les murs, mais d'abord à les rendre étanches à l'air tout en leur donnant une certaine valeur isolante. À moins que l'intégrité structurale des murs soit com-promise, il n'est donc pas nécessaire dans ce cas de reprendre les joints intérieurs de mortier.

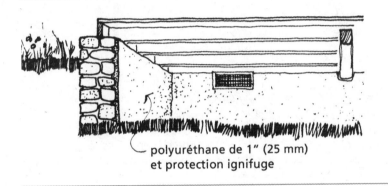

      polyuréthane de 1" (25 mm)
      et protection ignifuge

Une mince couche d'environ 1 à 1 1/2 pouce (25 à 38 mm) de polyuré-thane est giclé sur la surface des murs. Ce matériau, très toxique s'il brûle, doit ensuite être recouvert d'un matériau pare-feu lui aussi giclé et d'une épaisseur d'au moins 1/2 pouce (12 mm).

Eau et humidité dans le sous-sol

Plusieurs maisons anciennes ont une cave ou un vide sanitaire en terre ou une mince dalle de béton sans pare-vapeur. De plus, les murs de fondations ne sont pas munis d'un drain français; s'il y en a un, il est rempli d'argile. Cela favorise le passage vers le sous-sol de l'eau contenue dans le sol et de l'eau de ruissellement, tout en rendant les murs et les caves très humides, particulièrement au printemps, lors de la fonte des neiges.

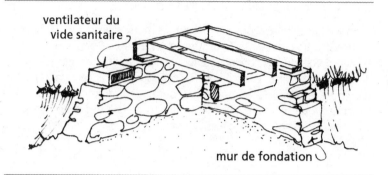

ventilateur du
vide sanitaire

mur de fondation

Solutions

1. VENTILER

Avant de chercher à réduire la pénétration de l'eau, il faut assurer une bonne ventilation de la cave, durant tout l'été, en installant des soupiraux aux deux extrémités de la cave (voir p. 24).

Cette ventilation évitera la formation de champignons (pourriture) sur la charpente en bois du plancher du rez-de-chaussée.

2. ÉLOIGNER L'EAU DES MURS

Si la ventilation ne suffit pas et si les infiltrations d'eau sont abondantes durant la fonte des neiges, il faut commencer par canaliser l'eau provenant des toits et du terrain et la rejeter loin des murs de fondation.

Une première solution consiste à construire autour de la maison des talus de terre argileuse en pente, d'en faire autant dans les surfaces asphaltées longeant les fondations, et d'installer des gouttières sur le toit ainsi que des descentes qui rejetteront leur eau le plus loin possible de la maison.

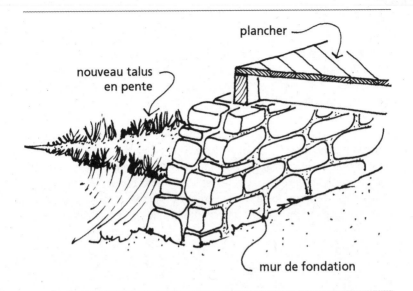

plancher

nouveau talus en pente

mur de fondation

3. INSTALLER UN DRAIN FRANÇAIS

Si le rejet des eaux de pluie ne suffit pas et s'il est difficile d'installer un drain par l'extérieur, il faut alors procéder par l'intérieur. Ce n'est pas la meilleure solution. En effet, le drain fait baisser la nappe d'eau, ce qui peut provoquer des assèchements et des tassements de sol, surtout si le sol est argileux. Pour éviter cela, il est recommandé de ne pas placer le drain plus bas que le dessous des semelles ou du mur de pierre.

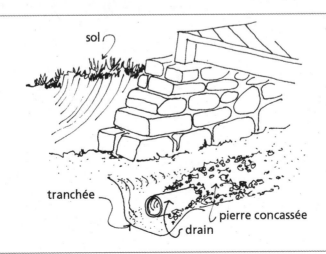

sol

tranchée

pierre concassée

drain

4. INSTALLER UN DRAIN PAR L'EXTÉRIEUR

Une solution plus appropriée pour les bâtiments exposés sur trois ou quatre côtés consiste à creuser une tranchée par l'extérieur, tout autour de la fondation, à imperméabiliser les murs et à installer un drain branché à l'intérieur à un puisard muni d'une pompe raccordée aux égouts de la Ville.

Dans le cas d'un mur de fondation de béton très détérioré ou d'un mur de pierre, il est recommandé de réparer les trous, les fissures ou les joints sous le niveau du sol fini, puis de pulvériser à chaud une membrane liquide de deux couches de bitume caoutchouté, renforci d'une toile de fibre de verre. Il convient d'utiliser un drain muni d'un géotextile, ce qui évite qu'il soit obstrué par des particules de sol.

membrane
sur le mur

drain   mur de fondation

Dans le cas où les murs de béton sont en bon état, il faut boucher les trous avec une pâte d'asphalte, puis imperméabiliser les murs, sous le niveau du sol fini, uniquement avec deux couches d'enduit asphaltique pulvérisé à froid.

La méthode consistant à intervenir par l'extérieur est nettement plus efficace, mais elle est plus difficile à appliquer en milieu urbain (trottoirs ou asphalte à briser, présence de balcons et coûts importants).

5. RÉDUIRE LA QUANTITÉ D'HUMIDITÉ PROVENANT DU PLANCHER

Après avoir assuré un bon drainage des eaux de pluie, il peut être utile de réduire la quantité de vapeur d'eau provenant du plancher de la cave ou du vide sanitaire. Cette humidité provient de la nappe d'eau, qui est plus ou moins haute selon la nature du sol et selon les saisons.

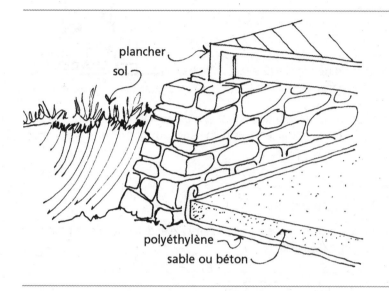

La solution consiste à étendre un polyéthylène de 6 millièmes sur le sol préalablement nivelé et de le recouvrir d'une couche de sable ou de pierres plates.

Si vous refaites le plancher de béton, il faut déposer la membrane sur un fond de 6 pouces (150 mm) d'épaisseur de pierres concassées de 3/4 pouce (19 mm), puis couler une dalle de 3 pouces (75 mm) d'épaisseur munie d'un treillis d'acier n° 6.

Fissure dans le mur de fondation

Une fissure dans une fondation peut être provoquée par différents phénomènes qu'il faut identifier avant de procéder à des travaux. Le sol peut s'être affaissé de façon inégale sous le mur ou avoir gelé localement. Le mur peut avoir gelé et raccourci, soit parce que le mélange contenait trop d'eau à la coulée du béton, soit parce que les charges appliquées sont trop différentes d'une face à l'autre du bâtiment.

Les tassements différentiels du sol et le gel sont les phénomènes les plus néfastes, car ils entraînent des dommages aux parements ou aux murs massifs de maçonnerie.

Solutions

1. ANALYSER LES FISSURES

Il faut d'abord trouver la cause de la fissure et déterminer si le problème est récent ou persistant.

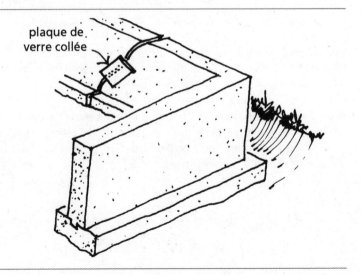

plaque de verre collée

Durant l'hiver, collez un morceau de verre recouvrant la fissure, puis attendez jusqu'à l'automne. Si le mur bouge encore, le verre va se briser et vous devrez poursuivre vos investigations pour déterminer la cause de la fissure et la solution à privilégier. Si le mur ne bouge plus et si de l'eau s'infiltre, réparez la fissure, toujours par l'extérieur, à cause des pressions d'eau à supporter. Utilisez un bon scellant sur fond de joint ou un polyuréthane giclé spécialement conçu pour ce type de travaux.

2. HUMIDIFIER LE SOL

Si la fissure est due à un tassement différentiel du sol causé par un assèchement de l'argile en période de sécheresse, arrosez régulièrement le sol et éliminez les racines des arbres à croissance rapide (saules, peupliers, érables). Évitez de faire poser des pieux, sauf si vous le faites sur tout le périmètre de la maison, ce qui exige l'approbation de vos voisins dans le cas d'une maison mitoyenne.

3. ISOLER LE SOL ET LA FONDATION

Si la semelle ou le bas du mur n'est pas assez profond dans le sol pour être bien protégé du gel, il est recommandé d'excaver et d'isoler le sol avec des panneaux isolants de polystyrène extrudé (bleu ou rose) d'au moins 2 pouces (50 mm) d'épaisseur.

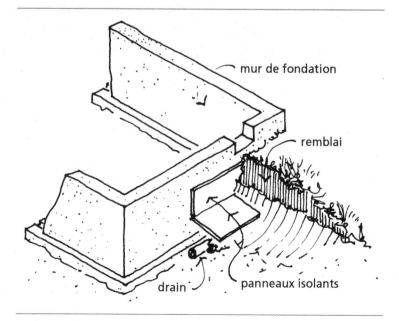

mur de fondation

remblai

drain

panneaux isolants

Si les conditions le permettent, vous pouvez rehausser le niveau fini du sol de manière à obtenir la protection contre le gel nécessaire selon la région où vous habitez.

Autrement, la solution consistant à isoler le sol et le mur de fondation permet au peu de chaleur qui se perd par le plancher du sous-sol de maintenir la température du sol suffisamment élevée pour qu'il ne gèle pas. De plus, les lentilles de glace qui descendent dans le sol au printemps s'arrêteront sur l'isolant.

4. REFAIRE LA FONDATION

Dans les cas extrêmes, lorsque les premiers murs de fondation de béton sont très désagrégés, qu'ils compromettent la stabilité des parements et de la charpente, ou lorsque les murs de fondation de pierre se sont trop déformés, il faut les démolir et les refaire.

Cette opération est coûteuse et implique généralement la dépose du matériau de parement ou son support temporaire, le support temporaire de la charpente du bâtiment, la construction de nouveaux murs de fondation, leur drainage et leur imperméabilisation. Ensuite, on remet en place l'ancien ou le nouveau parement en appliquant les principes du mur écran de pluie (voir p. 49).

Dans le cas d'un parement de pierre, il est important, lors de la dépose, de numéroter l'endos des pierres avec un crayon de cire, de fixer des repères de hauteur et de remonter le parement avec des joints de mortier de chaux d'une épaisseur identique aux joints originaux. Si on ne le fait pas, les rapports entre le parement, les hauteurs de fenêtres et les parements voisins seront perturbés.

Dans le cas des murs massifs en maçonnerie, il faut démolir la fondation et la reprendre par sections d'environ 3 pieds (900 mm) de largeur, qu'on réunit progressivement par des aciers d'armature. On répare ensuite le parement localement.

Déformation latérale du mur

Il peut arriver qu'un mur de fondation de pierre s'écroule vers l'intérieur à cause des poussées latérales dues à un sol argileux mal drainé qui gèle et gonfle. Ce problème est fréquent dans les sous-sols et les descentes de cave non chauffés, ainsi que dans le cas des murs extérieurs de soutien.

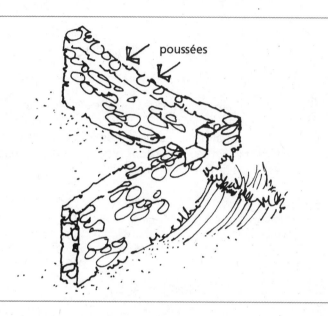

poussées

Solution

RÉPARER LE MUR ET DRAINER LE SOL

Il faut défaire, si possible, la partie déformée par sections de 3 pieds (900 mm) de largeur, puis rebâtir le mur de pierre avec un mortier de chaux de type M. En chauffant l'espace concerné ou en drainant le sol au bas du mur, on évitera les gonflements du sol (voir p. 16).

Creusage des sous-sols

Certaines personnes creusent leur vide sanitaire ou leur cave pour en faire un espace habitable, mais sans tenir compte des risques de glissements de terrain et d'effondrements des murs de fondation. Cette situation est d'autant plus critique dans les cas de maisons mitoyennes et lorsque les sols sont fragiles. Il est impératif de faire appel à un professionnel pour effectuer correctement ce type de travaux.

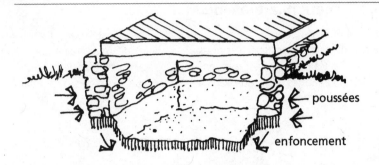

poussées

enfoncement

Les poussées latérales exercées par le sol extérieur ou par les murs mitoyens, combinées à un assèchement du sol sous le mur de fondation résultant d'une modification du niveau de la nappe d'eau ou de la présence importante d'eau dans ce sol, provoqueront un effondrement du sol et des murs de fondation supportés.

Ces tassements excessifs auront de graves conséquences sur les murs extérieurs et les murs mitoyens, ce qui compromettra l'intégrité structurale de la maison et des maisons voisines.

Solutions

1. EXCAVER PARTIELLEMENT L'ESPACE

Pour éviter ce type de tassements, la première solution consiste à n'excaver qu'une partie de la cave, en laissant intact le pourtour des fondations (selon les recommandations d'un ingénieur) et en construisant

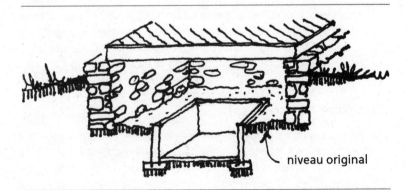

niveau original

un nouveau mur de soutènement des terres loin des fondations. Les semelles et les colonnes de la poutre centrale devront évidemment être remplacées.

2. CONSTRUIRE UN MURET PAR SECTIONS

Dans le cas où vous creusez l'ensemble de la surface de la cave, il faut excaver et construire, par sections (dont la longueur est fixée par l'ingénieur), de nouveaux murs de fondation réunis par des aciers d'armature et résistant aux poussées latérales développées.

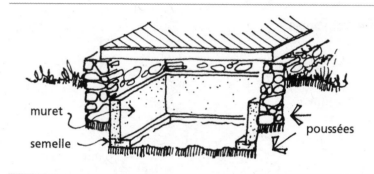

muret
semelle
poussées

3. CONSTRUIRE UN MURET EN SOUS-ŒUVRE

Une solution plus coûteuse et plus complexe consiste à construire, par sections, sous la fondation existante, un nouveau muret de fondation et une nouvelle semelle en fonction de l'épaisseur du mur existant. La nouvelle fondation doit être mise en charge avec des vérins plats et bloquée par des plaques d'acier et du mortier sec.

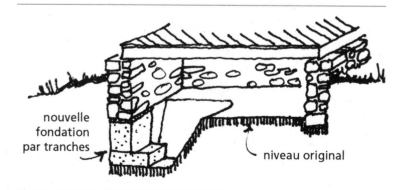

nouvelle
fondation
par tranches
niveau original

CHARPENTE

PROBLÈMES ET CAUSES

La charpente d'une maison continue à se transformer en fonction des conditions créées au moment de la construction et de celles auxquelles elle est soumise par la suite. Ici, c'est la maison en carré de madrier qui est illustrée (pour les autres systèmes les plus courants au Québec, voir l'annexe, p. 204).

Vue d'ensemble

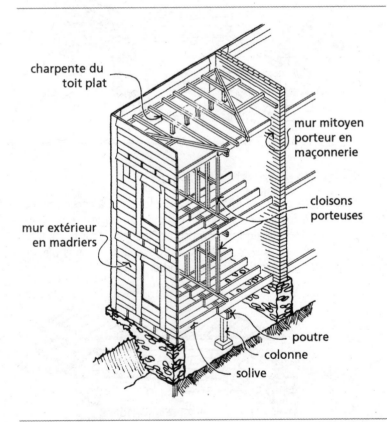

charpente du toit plat

mur mitoyen porteur en maçonnerie

cloisons porteuses

mur extérieur en madriers

poutre

colonne

solive

Trois facteurs principaux contribuent à la détérioration de la charpente :

1. des conditions d'humidité permanentes qui la font pourrir;
2. une construction mal conçue, où les principes élémentaires de structure ont été ignorés ou sous-estimés;
3. des conditions de sol instables qui, tout en déformant les fondations, ont des répercussions sur la charpente en bois du bâtiment.

Pour vous aider à déterminer la cause des problèmes, nous avons dressé la liste suivante en fonction de ces trois facteurs.

Humidité

1. Trop d'humidité emprisonnée au sous-sol.
2. Trop d'eau absorbée par le mur de fondation.
3. Des supports déposés directement sur le sol.
4. Des murs extérieurs mal protégés par la brique de parement.
5. Un mur ou un toit mal ventilé.
6. L'absence d'un pare-air/vapeur après isolation.

Structure

1. Des planchers appuyés sur deux sortes de murs (bois et maçonnerie).
2. Des cloisons porteuses mal alignées d'un étage à l'autre.
3. Des charges de cloisons porteuses concentrées sur une petite surface de plancher.
4. Des pièces de charpente trop petites pour les charges.
5. Une charpente mal contreventée.

Sol

1. Un sol qui, en séchant ou en gelant, s'affaisse ou gonfle et déforme la structure.
2. Un sol organique qui se décompose sous les fondations.

PLANCHER DU REZ-DE-CHAUSSÉE

Affaissement de la poutre centrale

L'affaissement de la poutre centrale peut résulter de deux phénomènes. Tout d'abord, lorsqu'une façade s'enfonce vers le centre, la déformation du mur de fondation entraîne la poutre centrale qui supporte les planchers. Ensuite, la poutre peut s'affaisser elle-même à ses appuis sans affecter les façades.

L'affaissement peut provenir des conditions suivantes.

1. L'humidité du mur de fondation a fait pourrir les appuis de la poutre centrale.

2. Les semelles trop petites se sont enfoncées dans le sol, et la base des colonnes, qui est en contact avec le sol, est pourrie.

3. Le sol argileux s'est asséché et les semelles se sont déplacées.

4. La poutre a fléchi à cause d'un espacement trop prononcé des colonnes.

5. Un système de plomberie défectueux a mouillé la charpente et l'a fait pourrir.

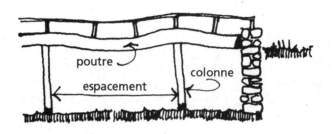

Solutions

1. INSTALLER DE NOUVEAUX APPUIS

Si les appuis sont pourris, il est possible d'y remédier en installant de nouveaux supports en béton qui seront mis en charge. Le bois supporté sera traité au préservatif ou séparé du béton par un feutre asphalté.

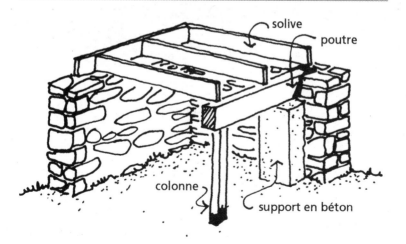

2. AJOUTER OU REMPLACER DES COLONNES

Si les colonnes sont trop faibles ou trop espacées, il est relativement facile de les remplacer ou d'en ajouter d'autres. Il s'agit d'acheter des colonnes ajustables en acier qu'on déposera sur une bonne semelle en béton armé. Vous devez faire calculer la surface de la semelle par un ingénieur en structure.

Qu'on remplace ou qu'on ajoute une colonne, il faut louer des vérins et supporter la poutre de part et d'autre de la colonne à remplacer ou à ajouter. Il faut aussi relever légèrement la poutre, puis relâcher ce poids sur la semelle et le sol – c'est ce qu'on appelle la mise en charge du sol. Si on ne le fait pas, la poutre va descendre et se déformer jusqu'à ce que le sol sous la semelle soit chargé au maximum.

S'il y a un plancher de béton assez épais, il est possible de déposer une nouvelle colonne sur une épaisse et large plaque d'acier, ce qui évite de briser la dalle et de construire une nouvelle semelle. Là encore, vous devrez consulter un ingénieur.

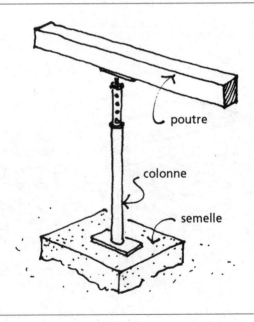

poutre

colonne

semelle

3. REMPLACER LES BASES DES COLONNES

Il est quelquefois possible de simplement remplacer la base pourrie de très grosses colonnes en bois. Il faut toutefois procéder de la même façon que pour un remplacement et bien recharger la semelle existante. Il faut aussi s'assurer que les fibres de la nouvelle pièce de bois insérée sous la colonne sont bien orientées verticalement.

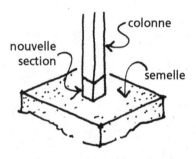

Affaissement des solives à la fondation

Il arrive souvent que l'appui des solives de plancher du rez-de-chaussée ainsi que la solive de rive qui les accompagne soient pourris et écrasés par la charge des murs extérieurs, en particulier lorsque les murs sont exposés à la pluie (voir p. 110).

Le problème peut avoir plusieurs causes : un parement qui laisse pénétrer beaucoup d'eau par ses joints; des contre-solins de toit percés par la rouille et qui laissent l'eau de pluie pénétrer dans l'espace situé entre le parement de brique et le mur en carré; ou des remontées d'eau et d'humidité par capillarité à travers le mur de fondation. C'est un problème courant dans les maisons où le plancher du rez-de-chaussée est près du sol fini, pour ne pas dire plus bas.

On découvre ce problème de dégradation soit par le sous-sol, en relevant le degré de pourriture de l'extrémité des solives, soit par le rez-de-chaussée où, généralement, le plancher s'est détaché du quart-de-rond et de la plinthe.

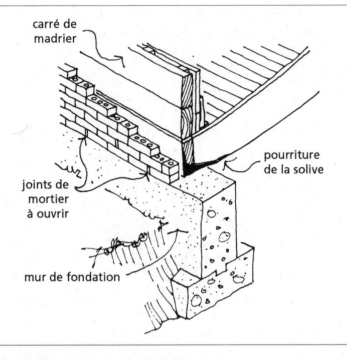

carré de
madrier

pourriture
de la solive

joints de
mortier
à ouvrir

mur de fondation

Solutions

1. RÉGLER LE PROBLÈME À LA SOURCE

Si l'état du parement est la cause principale du problème, il faut reprendre le bas du mur de brique ou de pierre ou le parement en entier, tout
en remplaçant les pièces pourries du carré (voir p. 136). Si l'eau provient
des parapets, il faut remplacer les contre-solins métalliques du toit, et
ce, avant même de réparer l'affaissement de la charpente du plancher.

2. VENTILER ET DRAINER

Si le problème provient de la fondation, trop enfouie dans le sol, ou
d'un sous-sol mal ventilé, il faut améliorer ces conditions en y ajoutant
des ouvertures et en tentant de mieux drainer le pourtour des murs de
fondation.

3. DOUBLER LES SOLIVES

Si peu de solives sont affectées et si la cause du problème est résolue,
on traite les solives au préservatif à bois et on les double en accolant
une nouvelle solive à l'ancienne.

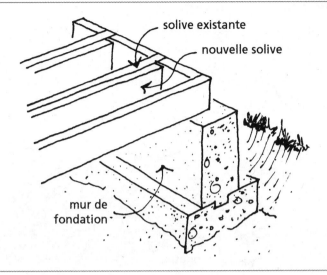

solive existante

nouvelle solive

mur de
fondation

4. SUPPORTER TOUTES LES SOLIVES

Si la majorité des solives sont affectées et s'il y a eu affaissement du plancher, on peut soit refaire complètement la charpente et le fini du plancher, soit relever et supporter, par-dessous, les solives affectées.

Dans ce second cas, on peut utiliser une poutre continue et des colonnes ou un muret en 2 x 4 (38 x 89 mm) déposé sur une semelle en blocs de béton pleins ou en béton coulé.

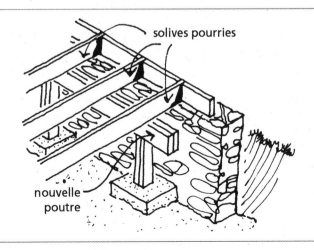

solives pourries

nouvelle
poutre

Pourrissement des solives

Certains vides sanitaires sont très bas, à peine assez hauts pour qu'une personne puisse s'y faufiler. Comme les travaux de plomberie ont souvent été faits après la construction, le creusage d'une tranchée d'accès a eu pour conséquence d'enterrer plusieurs solives et parfois même la poutre.

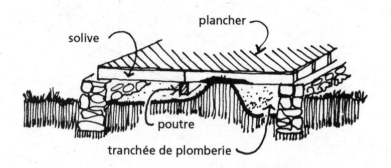

Cet espace étant souvent mal ventilé, les parties de la charpente enterrée ont pourri. La charpente de ce plancher est également presque toujours affectée par les trous percés pour la tuyauterie et les fuites d'eau de la salle de bains.

Solutions

1. VENTILER

Il faut libérer toutes les solives et la section de la poutre enterrée, suffisamment pour que l'air puisse facilement circuler autour de ces éléments de charpente.

On doit ensuite ventiler au maximum l'espace et, si possible, recouvrir le sol avec un polyéthylène afin de réduire la quantité d'humidité causée par l'évaporation.

2. REMPLACER LES SOLIVES

Lorsque les solives sont pourries mais que les dommages sont mineurs, il suffit de doubler les solives. Si les dommages sont plus importants, on doit remplacer tous les éléments de charpente qui sont pourris. Dans certains cas, cela supposera la réfection de sections complètes de planchers, particulièrement dans la cuisine et la salle de bains.

Solives mal déposées sur la poutre

Il arrive que les solives soient à peine retenues par la poutre centrale. Le plancher risque alors de s'effondrer.

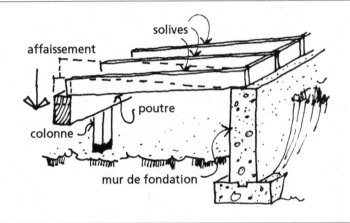

Ce problème peut avoir deux causes principales.

1. La poutre centrale s'est affaissée et a fait pivoter les solives bien appuyées sur le mur de fondation en béton.

2. Le mur porteur n'est pas aligné sur la poutre centrale et le poids a fait pivoter cette dernière.

Les solives sont alors bien appuyées sur un côté, mais elles risquent de tomber de l'autre côté de la poutre (voir le dessin de la page suivante).

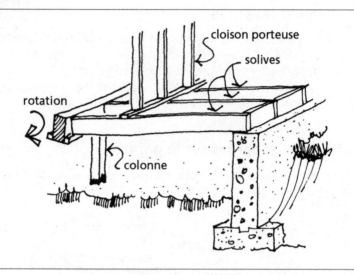

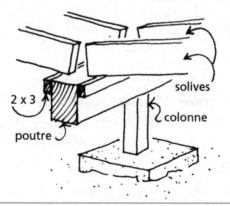

Solutions

1. ÉLARGIR LA POUTRE

En cas d'affaissement, il faut d'abord renforcer les colonnes et leur appui, puis élargir la poutre en clouant de chaque côté des 2 x 3 (38 x 64 mm).

2. REMONTER LA POUTRE

Si l'on envisage des travaux majeurs de rénovation impliquant le dégarnissage complet des cloisons, il est préférable de remonter la poutre à sa place.

3. INSTALLER UNE NOUVELLE POUTRE

Si le pivotement est causé par la charge d'un mur porteur très éloigné de la poutre du sous-sol, il faut installer une seconde poutre sur des colonnes alignées sous ce mur, puis mettre en charge cette nouvelle charpente.

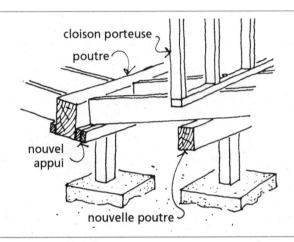

cloison porteuse

poutre

nouvel appui

nouvelle poutre

Planchers en pente

Problèmes et causes

Dans la majorité des maisons anciennes, les planchers sont plus ou moins en pente. Cette dénivellation, souvent vers le centre de la maison et plus prononcée au dernier étage, résulte de plusieurs phénomènes qui se cumulent. Voici les principaux.

1. Les semelles supportant les colonnes et la poutre du sous-sol se sont affaissées et ont entraîné vers le centre de la maison la charpente des planchers et les cloisons porteuses des étages.

2. Le bois des cloisons porteuses a séché et rapetissé.

3. L'appui des solives a été écrasé par les charges des cloisons porteuses.

4. Les cloisons porteuses sont décalées d'un étage à l'autre au point de déformer les solives de plancher (voir p. 116).

Le cumul de ces phénomènes finit par entraîner des pentes marquées, car les murs mitoyens en maçonnerie, eux, ne s'écrasent pas comme le bois.

Il peut toutefois arriver qu'un mur mitoyen s'enfonce beaucoup plus que le centre de la maison à cause d'un assèchement du sol.

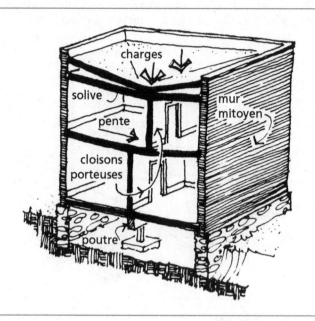

Solutions

1.   VIVRE AVEC LE PROBLÈME

Si vous n'envisagez pas de rénovations majeures impliquant le dégarnissage des murs et si vous souhaitez conserver le caractère patrimonial des intérieurs, vous devez conserver vos planchers tels quels. Un nivellement par soufflage des planchers aurait en effet des conséquences sur plusieurs composantes de la maison.

Le nivellement par soufflage implique de relever les plinthes, de couper les chambranles et la traverse du bas des portes, de relever des prises de courant, de créer un palier à l'escalier intérieur et, probablement, de perdre de beaux finis de plancher.

2. RELEVER LA CHARPENTE DES PLANCHERS

L'enduit de plâtre sur lattis ou le placoplâtre combiné à la charpente des cloisons porteuses confèrent à ces dernières une très grande rigidité, ce qui les fait se comporter comme de véritables poutres percées par des portes. En raison de cette rigidité, on ne peut pas les relever, car elles se sont déformées pendant une longue période.

Des travaux majeurs de rénovation, impliquant le dégarnissage des murs et des plafonds, permettent d'éliminer cette rigidité, tout en réduisant considérablement les charges mortes créées par les enduits de plâtre et transférées aux charpentes des planchers des étages.

Cet allègement de la charpente et la souplesse obtenue grâce au dégarnissage offrent les meilleures conditions pour remettre les planchers un peu plus à niveau. Il suffit de mettre en place, sous la poutre du sous-sol, les vérins requis pour remonter, en partie, les planchers et les cloisons porteuses. On termine ensuite le travail en relevant les plafonds de chacun des étages avec les vérins et en insérant des coins entre le dessus des cloisons porteuses et le dessous des solives.

Il faut toutefois être très prudent lorsque les charpentes de plancher reposent sur une façade avant, arrière ou latérale de coin de rue. Le redressement des solives a pour effet de développer des poussées latérales sur ces murs souvent déjà fragiles. Ce type d'intervention devrait être supervisé par un ingénieur en structure.

3. NIVELER LES FORTES PENTES

Si la charpente de la maison ne peut être relevée et si vous persistez à vouloir éliminer les fortes pentes du dernier étage, malgré les conséquences énumérées au premier point, voici la procédure à suivre.

Commencez par stabiliser les tassements de la charpente du sous-sol, en particulier la poutre, les colonnes et les semelles. Stabilisez aussi les tassements ponctuels présents dans les cloisons porteuses des autres étages.

Enlevez les plinthes, les portes et les chambranles, pour les ajuster aux nouvelles hauteurs, et nivelez le plancher avec des 2 x 3 (38 x 64 mm) ou des 2 x 4 (38 x 89 mm) sciés en biseau et cloués tous les 16 pouces (400 mm). Un matériau acoustique peut servir de séparateur entre le plancher existant et la nouvelle charpente. On recouvre ensuite cette dernière avec un contreplaqué de 5/8 pouce (16 mm) d'épaisseur, bouveté et vissé.

Remettez en place les plinthes et les chambranles des portes. Ajustez, si possible, les anciennes portes en réduisant à la fois la traverse du haut et celle du bas, de façon à rétablir un meilleur équilibre visuel, et en déplaçant la gâche recevant le pêne de la poignée de porte.

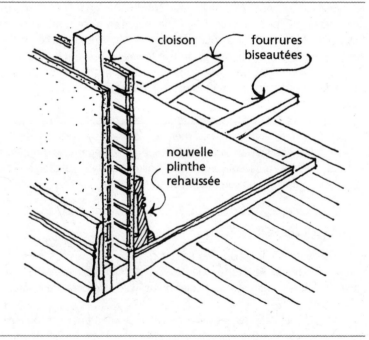

PLANCHERS QUI CRAQUENT

Problèmes et causes

Le craquement des surfaces de plancher peut avoir plusieurs causes. Ce bruit est principalement causé par le frottement des pièces de bois sèches les unes sur les autres ou par la torsion des planches.

Ce frottement survient en raison du fléchissement d'une pièce de charpente ou de planches de plancher mal supportées par une solive. Ces dernières se séparent de la planche ou du contreplaqué servant de faux plancher en raison du séchage ou de la torsion des solives. Les recouvrements de plancher plient et glissent les uns sur les autres à cause de ces vides, ce qui entraîne les craquements familiers. Des solives peuvent aussi se séparer de leur appui et entraîner le même type de problème.

Solutions

1. COMBLER LES VIDES

Avec des bardeaux de cèdre, il est possible de combler les vides situés entre le dessus des solives et le dessous du faux plancher, entre une solive et un mur ou entre des solives et une poutre.

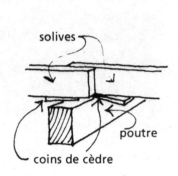

Cette méthode n'est évidemment applicable qu'au sous-sol, sauf si tous les étages du bâtiment sont dégarnis en vue de travaux majeurs de rénovation.

2. VISSER LES PARQUETS PAR-DESSOUS

Pour diminuer voire éliminer le craquement du parquet de bois franc, dont les rainures et les languettes des joints bouvetés des planches frottent les unes sur les autres, il suffit de rapprocher, par des vis, le parquet de bois dur du faux parquet.

Après avoir identifié les surfaces où il y a des vides entre le faux plancher et le plancher fini, il faut percer par-dessous, dans le faux plancher, des trous d'un diamètre équivalent aux vis utilisées.

Joignez ensuite à ces vis une rondelle assez grande pour répartir la pression induite sur une grande surface de bois. Utilisez une vis à bois qui entrera dans le plancher de bois dur, mais sans s'y enfoncer de plus de la moitié de son épaisseur, soit environ 1/2 pouce (12 mm). Les vis rapprocheront les deux planchers.

Pour faciliter le travail, on peut percer, dans le bois franc, un trou plus petit que la vis, sans toutefois passer à travers le bois.

3. INSÉRER DU GRAPHITE ENTRE LES PLANCHES

S'il est impossible de rapprocher les deux parquets par-dessous, vous pouvez déposer du graphite dans les joints bouvetés des planches de bois franc bruyantes. Marchez ensuite sur le parquet pour que le graphite s'insère bien.

Cette intervention diminue la friction entre les rainures et les languettes des planches, ce qui réduit le bruit d'autant. C'est une intervention facile, peu coûteuse et efficace. Il se peut toutefois que vous soyez obligé de répéter l'intervention après quelques années.

ENFONCEMENT PONCTUEL D'UN PLANCHER

Problèmes et causes

Comme nous l'avons déjà mentionné, le plâtre sur lattis ou le placo-plâtre fixé à la charpente des cloisons porteuses fait de ces dernières de véritables poutres rigides. Les ouvertures de portes interrompent toutefois la continuité de cette cloison/poutre et favorisent quelquefois des concentrations de charge.

Au lieu de s'appuyer sur une solive de plancher, ces charges concentrées peuvent, comme illustré sur le dessin, tomber entre deux solives et être alors assumées par la seule résistance de la planche du faux plancher.

La planche trop faible se déforme, ce qui provoque un enfoncement et une déformation de la cloison porteuse et des cadres de porte. Le problème peut devenir grave au rez-de-chaussée, où s'accumule le poids de tous les étages. C'est toutefois l'endroit où il est le plus facile d'intervenir par le sous-sol.

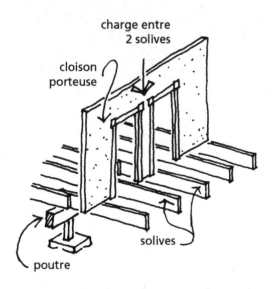

charge entre
2 solives

cloison
porteuse

solives

poutre

Solution

SUPPORTER LE PLANCHER

Il suffit soit de transférer, par un chevêtre, les charges aux solives situées de part et d'autre du plancher déformé, soit de supporter ce chevêtre au sous-sol par des colonnes déposées sur une semelle coulée en béton ou en blocs de béton pleins.

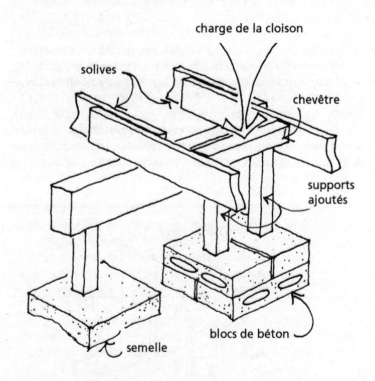

charge de la cloison

solives

chevêtre

supports ajoutés

blocs de béton

semelle

SAILLIES

PROBLÈMES ET CAUSES

Solives des balcons pourries

Les solives pourrissent à la sortie du mur et sur leur partie supérieure pour plusieurs raisons : absence de joint de scellement entre le parement de brique et la surface de bois ou joint mal entretenu; absence de pente de drainage; absence de ventilation; et mauvais entretien des surfaces.

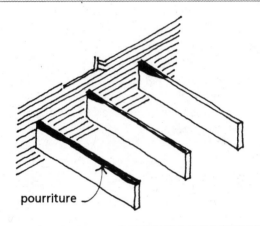

pourriture

Solutions

1. DOUBLER LES SOLIVES

Si la résistance structurale des solives n'est pas trop affectée, coupez la partie supérieure pourrie sur toute la longueur des solives, traitez la partie saine avec un préservatif à bois et ajoutez de nouvelles solives prétraitées aux anciennes en y intégrant une pente de drainage vers la rue.

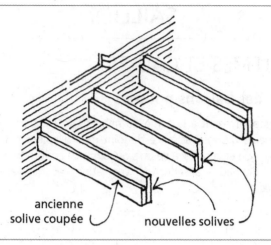

ancienne
solive coupée

nouvelles solives

Utiliser cette méthode évite de clouer de nouvelles solives à la charpente des planchers et donc de défaire le plâtre des plafonds à l'intérieur des logements. Cette solution ne vaut bien sûr que si les anciennes solives coupées sont encore suffisamment solides (c'est-à-dire s'il reste les deux tiers de la hauteur de la solive).

2. REMPLACER LES SOLIVES

Deux méthodes peuvent être envisagées.

La première est coûteuse et s'impose si les solives sont très affectées par la pourriture. Elle consiste à briser le plâtre d'une partie du plafond pour enlever et remplacer les solives allant de l'extérieur à l'intérieur des logements.

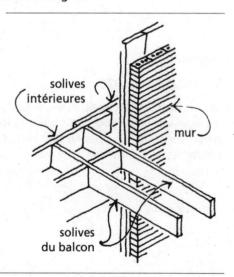

solives
intérieures

mur

solives
du balcon

La seconde méthode est utilisée pour les balcons situés au rez-de-chaussée ou pour les balcons possédant des colonnes, en bois ou en métal porteuses, se prolongeant aux étages supérieurs. En l'absence de telles colonnes, l'ajout de colonnes modifierait considérablement le caractère de la façade du bâtiment, ce qu'il faut éviter.

Le travail consiste à couper les solives pourries au ras du mur de brique, à boulonner une nouvelle solive sur le mur à l'aide de tire-fonds rejoignant la charpente du mur, puis à fixer les nouvelles solives du balcon.

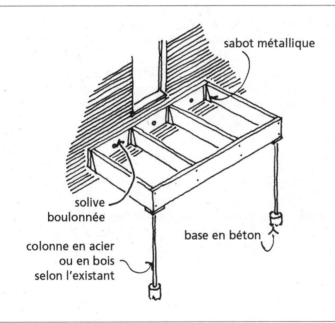

sabot métallique

solive boulonnée

colonne en acier ou en bois selon l'existant

base en béton

Une extrémité est fixée au mur avec des étriers d'acier galvanisé; l'autre extrémité repose sur des colonnes en bois traité ou en acier, selon les composantes d'origine de la façade.

Au rez-de-chaussée, ces colonnes reposent sur des bases en béton enfouies à 54 pouces (1 370 mm) sous le sol fini. Tout ce travail est effectué par l'extérieur, ce qui évite d'avoir à démolir le plâtre.

Surfaces de balcons pourries

Problèmes et causes

Les rayons ultraviolets du soleil assèchent et brûlent les menuiseries extérieures laissées trop longtemps sans protection. La peinture finit par durcir et peler; dans le cas de la teinture, les huiles s'assèchent et les pigments s'envolent progressivement avec le vent. Les surfaces fortement exposées se fendillent rapidement : l'eau y pénètre profondément et fait pourrir le bois. C'est particulièrement le cas des balcons du dernier étage, lorsqu'ils ne sont pas déneigés, et des balcons mal ventilés.

C'est pourquoi il faut régulièrement peindre ou teindre les surfaces en bois des balcons ou utiliser des finis de fibre de verre ou de tôle galvanisée pour les surfaces exposées et non déneigées du dernier étage. Ailleurs, utiliser du bois prétraité et le peindre régulièrement constitue une solution efficace et respectueuse du caractère de nos maisons traditionnelles.

Solutions

1. TRAITER LE BOIS ET LE PROTÉGER

Utilisez un bois prétraité non toxique ou traitez les planches en les laissant préalablement sécher un bon mois. Attendez également un mois entre le traitement et la pose. Utilisez des clous galvanisés. Peignez ou teignez tous les deux ans les surfaces exposées. Si possible, déneigez régulièrement les galeries et les balcons non protégés.

2. POSER UN PRODUIT DE SCELLEMENT

Une fois la surface du balcon terminée, il est important de sceller le joint situé à la jonction entre le parement de la façade et la surface en bois du balcon. Il faut bien sûr que la surface se draine vers la rue et non vers la façade de la maison.

C'est souvent par ce joint que l'eau, coincée derrière un banc de neige, s'infiltre et fait pourrir les solives, rendant nécessaire leur remplacement. Nettoyez bien les surfaces, puis scellez les jonctions entre les surfaces horizontales et verticales en bois ou en métal. Il est recommandé d'utiliser un scellant en cartouche de bonne qualité (élastomère ou polyuréthane flexible) car les joints horizontaux se détériorent très rapidement.

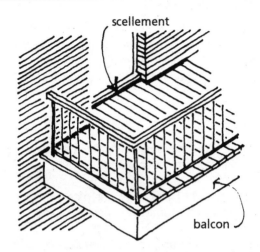

scellement

balcon

3. VENTILER PAR LE PLAFOND

Il faut éviter que l'humidité s'accumule et reste enfermée entre le plancher et le plafond de bois des balcons. Il ne convient toutefois pas de remplacer cette menuiserie par un parement d'aluminium perforé qui ne respecte pas le caractère de nos maisons. Le parement de bois des plafonds est excellent et le demeure à la condition que soit bien ventilé l'espace situé entre le plancher et le plafond du balcon, en évitant que de l'eau s'y loge de façon répétée et en utilisant une peinture au latex comme fini.

Deux moyens permettent de ventiler cet espace. On peut brocher une bande de 2 pouces (50 mm) de moustiquaire de vinyle sous la partie avant des solives, et fixer les planches du plafond en laissant un espace d'environ 1 pouce (25 mm) entre la frise avant et la première planche de finition. On peut aussi utiliser de très petites grilles circulaires d'environ 2 pouces (50 mm) de diamètre et les placer à l'avant et à l'arrière de la surface du plafond, et ce, entre chacune des solives du balcon. Cette solution s'applique généralement pour les plafonds déjà existants, là où la peinture à l'huile a tendance à peler régulièrement.

Les escaliers détériorés

Les escaliers extérieurs doivent être solides et sécuritaires car ils sont considérés comme des issues en cas de sinistre. Compte tenu des conditions climatiques hivernales, les marches doivent offrir une surface antidérapante. Il est important de bien entretenir les escaliers et les marches.

Recommandations

Enlevez toujours la rouille, mécaniquement ou manuellement, avant de repeindre les limons et les mains courantes.

Bouchez les trous dans les limons avec une pâte à métal et appliquez une couche d'apprêt sur les surfaces rouillées et sablées.

Appliquez une seule couche de peinture à métal sur la couche d'apprêt.

Faites reposer les limons sur une dernière marche en pierre ou en béton.

Renforcissez les limons affaiblis avec des plaques de métal soudées ou remplacez-les par de nouveaux limons.

Appliquez deux couches de peinture-émail sur les marches en bois et installez une bande autocollante, de 2 pouces (50 mm) de largeur et de 24 pouces (600 mm) de longueur, à 1 1/2 pouce (38 mm) du nez de chacune des marches. On peut aussi y fixer des tapis de caoutchouc résiliant pour faciliter le bris des glaces.

Respectez la tradition dans la conception des balustrades en utilisant des poteaux verticaux, qui sont en outre plus sécuritaires pour les enfants.

Les dimensions minimales et maximales à respecter pour la profondeur des marches droites et d'angle, ainsi que pour la hauteur des contremarches des escaliers extérieurs, sont fixées par les codes de construction. Elles sont généralement respectées par les fabricants d'escaliers.

ENVELOPPE

PAREMENTS EXTÉRIEURS

Problèmes et causes

Avec les années, les parements extérieurs qui protègent les toitures, les murs extérieurs et les parapets subissent des détériorations normales, causées par nos variations de températures extrêmes et rapides, par l'eau de ruissellement, la neige et la glace, ainsi que par les rayons ultra-violets du soleil.

Les matériaux poreux comme la brique, la pierre et le béton sont sujets à l'effritement s'ils absorbent et retiennent trop longtemps l'eau. Le gel faisant gonfler l'eau, le matériau, saturé, éclate progressivement. C'est le cas, particulièrement au printemps, des parements de brique de mauvaise qualité.

L'alternance de la pluie et des rayons du soleil entraîne un mouillage et un séchage répétés qui font se fissurer les finis de bois, ces derniers absorbant suffisamment d'humidité pour pourrir.

Les changements de température font tantôt rapetisser et tantôt allonger les matériaux, ce qui fait se fissurer les plus fragiles d'entre eux. Il suffit de penser aux peintures, aux membranes de toit, aux contre-solins de tôle des parapets et aux joints de mortier dans les surfaces de brique, etc.

Le ruissellement rapide de l'eau sur des surfaces assez molles, comme l'asphalte des couvertures ou le bois, contribue, avec les rayons ultra-violets du soleil, à les dégrader.

Les problèmes d'enveloppe traités dans les pages qui suivent résultent généralement des causes suivantes :

1. un matériau trop poreux qui absorbe l'eau sans l'éliminer rapidement;

2. un matériau mal drainé ou mal ventilé qui conserve son humidité;

3. un matériau ou un assemblage mal adapté à des changements de température importants;

4. un matériau fragile aux rayons ultraviolets;

5. une surface ou un assemblage mal adapté au ruissellement de l'eau de pluie;

6. un assemblage favorisant la formation de glace ou de givre.

Toit qui coule

L'eau qui coule à travers le toit peut provenir de quatre sources distinctes :

- un drain bouché par des feuilles, de la pierre ou une balle;
- une couverture percée, fissurée ou arrachée par le vent;
- des contre-solins rouillés et perforés;
- l'humidité qui se condense dans l'entretoit.

Solutions

1. DÉBOUCHER LE DRAIN

S'il y a une grille de protection (crapaudine), nettoyez-la et enlevez les feuilles qui l'obstruent.

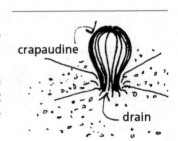

S'il n'y a pas de grille, demandez à un plombier de débloquer le drain avec un fichoir et de poser une grille de protection dans le drain.

2. RENDRE LA COUVERTURE ÉTANCHE

En règle générale, une membrane multicouche qui n'est pas très vieille (7 à 10 ans), qui a encore une bonne surface de pierre concassée et qui ne présente pas de faiblesses généralisées (érosion de la dernière couche d'asphalte, mousses, boursouflures) peut simplement être réparée à l'endroit endommagé.

Le couvreur retire la pierre et nettoie la surface avariée, répand une couche d'asphalte et applique deux plis de feutres asphaltés renforcis, entre les deux, par un pli de fibre de verre. Chaque pli est collé à l'asphalte chaud. On recouvre enfin cette réparation d'une généreuse couche d'asphalte et d'environ 3/4 pouce (19 mm) de pierre concassée.

Dans certains cas, il est nécessaire de couper la partie de la membrane endommagée et de l'enlever, puis de refaire une nouvelle membrane de 4 plis de feutres à cet endroit. Chaque pli doit chevaucher le précédent de 4 pouces (100 mm) de façon à bien recouvrir le joint entre l'ancienne et la nouvelle membrane.

3. REDONNER SON ÉTANCHÉITÉ AU TOIT

Il existe plusieurs méthodes pour redonner son étanchéité au toit. Aussi faut-il demander à votre couvreur laquelle il compte appliquer pour le prix qu'il vous propose.

La première méthode est utilisée lorsque la couverture existante est parfaitement uniforme et exempte de toute boursouflure. Elle consiste à laisser la vieille membrane en place et à en appliquer une nouvelle par-dessus. On met de côté la pierre concassée, on gratte à fond l'ancienne membrane, puis on y répand une épaisse couche d'asphalte ou de goudron.

La nouvelle membrane se compose de trois épaisseurs de feutres (3 plis) collés pleine surface à l'asphalte ou au goudron, selon le produit présent dans la vieille membrane. On met ensuite en place des solins membranés de feutres asphaltés (3 plis) sur le pourtour du toit, des ventilateurs, du puits de lumière et de la trappe d'accès en les faisant remonter sur les murs parapets. On recouvre les trois feutres de la membrane d'une dernière couche d'asphalte ou de goudron, plus épaisse, sur laquelle on répand environ 3/4 pouce (19 mm) de pierre concassée (20 kg/m^2).

La deuxième méthode consiste à arracher toutes les vieilles membranes présentes, à gratter, à nettoyer le platelage et à réparer les surfaces de bois endommagées. On utilise de nouvelles planches et des tôles pour boucher les larges fissures et les trous de nœud. On doit faire établir, avant le début des travaux, un prix au pied carré de remplacement des planches abîmées.

Une membrane multicouche, de quatre épaisseurs de feutres (4 plis) collés pleine surface à l'asphalte chaud, est fixée par plots au platelage de bois, en débutant au drain, puis on la déroule dans la direction la plus courte du toit. Comme avec la première méthode, on met ensuite en place des solins membranés de feutres asphaltés (3 plis) sur le pourtour du toit, des ventilateurs, du puits de lumière et de la trappe d'accès en les faisant remonter sur les murs parapets. On recouvre enfin la membrane d'une épaisse couche d'asphalte (3 kg/m²), puis de pierre concassée (20 kg/m²).

Les multicouches

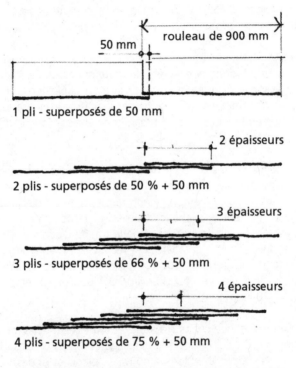

Le nombre de plis des membranes en fonction du degré de superposition des rouleaux.

50 mm — rouleau de 900 mm

1 pli - superposés de 50 mm

2 épaisseurs

2 plis - superposés de 50 % + 50 mm

3 épaisseurs

3 plis - superposés de 66 % + 50 mm

4 épaisseurs

4 plis - superposés de 75 % + 50 mm

5 plis = superposer 2 plis + 3 plis dans le même sens et dans la même journée.

Une troisième méthode permet d'obtenir une étanchéité de plus grande qualité. Elle consiste à obtenir une membrane de 5 plis en superposant, dans le même sens et dans la même journée, deux membranes (une double protection) : une première avec deux épaisseurs de feutres (2 plis) et une seconde, par-dessus la première, avec trois épaisseurs de feutres (3 plis).

On peut aussi appliquer des membranes préfabriquées en rouleaux à l'usine et constituées de deux épaisseurs de membrane posées à froid (autocollantes ou collées à froid). Les joints, entre les rouleaux de 36 pouces (900 mm), sont chevauchés de 2 pouces (50 mm). La seconde épaisseur est enduite, en usine, d'une mince couche de pierre pour la protection contre les ultraviolets.

Ces membranes ont une durée de vie deux fois plus longue (25 à 30 ans) que les membranes multicouches réalisées sur place (12 à 15 ans) et coûtent évidemment plus cher. Elles doivent être appliquées par un couvreur accrédité par l'Association des maîtres couvreurs du Québec ou par la compagnie qui fabrique la membrane retenue, si l'on veut se prévaloir de la garantie.

4. REMPLACER LES CONTRE-SOLINS

Les contre-solins métalliques protègent la partie des solins membranés qui remonte sur les murs parapets contre les rayons ultraviolets du soleil, tout en fermant l'espace laissé entre la brique de parement et le mur extérieur en bois.

Il se peut que la membrane et les solins de la couverture soient encore étanches, mais que la partie horizontale des contre-solins soit percée par la rouille, laissant l'eau s'infiltrer dans les murs et se rendre dans l'entretoit et les plafonds.

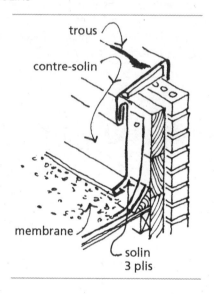

Dans ce cas, il faut boucher temporairement les trous et fermer les joints entre les feuilles de métal avec un bon scellant et envisager de les remplacer à court terme.

5. VENTILER L'ENTRETOIT

Si vous avez fait isoler votre toit sans avoir suivi les règles prescrites pour ventiler l'entretoit, il se peut que vous ayez des problèmes d'eau de condensation dans votre plafond.

Sans isolant, l'entretoit reste assez chaud pour absorber une bonne quantité d'humidité avant qu'elle ait le temps de se condenser sous le platelage froid. Avec un isolant, l'air est refroidi et ne peut contenir autant de vapeur d'eau. Il faut donc l'évacuer très rapidement avant que la vapeur d'eau se condense et retombe dans le plafond.

Il est par conséquent recommandé de laisser un espace d'au moins 3 pouces (75 mm) entre le dessous de la charpente du toit et le dessus de l'isolant : l'air peut ainsi circuler dans toutes les directions. De plus, il faut prévoir la pose de cols-de-cygne de 1 pied carré tous les 150 pieds carrés de toiture (1/150). Il faut les placer au pourtour du toit sans qu'ils soient visibles de la rue. Il faut aussi appliquer deux couches de peinture-émail au plafond pour réduire la vitesse de passage de la vapeur à travers le plâtre.

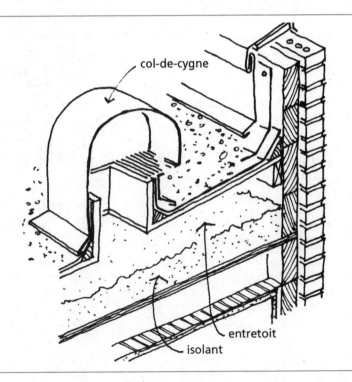

col-de-cygne

entretoit

isolant

Maçonnerie détériorée

Les problèmes et leurs causes

Les surfaces de brique ou de pierre se détériorent pour une ou plusieurs des raisons suivantes :

1. le ruissellement de la pluie, la vapeur d'eau provenant du bâtiment, les pressions d'air intérieures et extérieures, l'effet capillaire du mortier et de la maçonnerie combiné au gel, qui dégradent les joints et favorisent les infiltrations d'eau;

2. les vibrations provenant du sol, la rouille des clous servant d'attaches, la pourriture de la face extérieure du mur en bois ou son instabilité latérale, qui favorisent le détachement de la maçonnerie et son gonflement à mi-hauteur de la façade;

3. l'eau qui s'infiltre dans les joints de mortier défectueux ou par les contre-solins percés du toit s'accumule dans la cavité et les joints de mortier du bas du mur, gèle et fait gonfler la partie basse du mur de maçonnerie;

4. la vapeur d'eau du bâtiment qui s'accumule au dernier étage, traverse par diffusion et exfiltration le plafond et les murs, se condense dans les parties supérieures des murs parapets moins bien chauffées, se transforme en glace dans les joints de mortier et détruit leur intégrité;

5. le bas d'un mur de maçonnerie enterré par un changement de niveau du sol, que la neige et l'eau ont saturé et que le gel a fait éclater;

6. une peinture-émail, appliquée sur une surface de maçonnerie, qui agit comme pare-vapeur posé du côté froid du mur, favorise l'accumulation d'eau de condensation dans la maçonnerie qui gèle et fait éclater la surface du parement et la peinture;

7. un mur massif de plusieurs épaisseurs de maçonnerie non porteuse, de trois étages et plus, non retenu latéralement par les solives de plancher des étages, qui se déforme par les infiltrations d'eau, le gel et les vibrations provenant du sol et gonfle à mi-hauteur de la façade;

8. un mur de fondation qui subit un rehaussement causé par le gel du sol sous les semelles ou un affaissement causé par un assèchement ou une dégradation d'une partie du sol sur lequel il repose, ce qui entraîne des déformations et des fissures dans la maçonnerie.

Mur de brique de parement gonflé

Solutions

1. REPRENDRE LES SURFACES GONFLÉES

Si peu de surfaces se détachent de la charpente, il faut faire reprendre uniquement celles-ci, surtout s'il s'agit d'une surface supérieure. Il faut faire démonter la brique jusqu'au bas du gonflement, la nettoyer et la remettre en place en la fixant avec des attaches à maçonnerie et en utilisant un mortier prémélangé à base de chaux et de ciment. Il est aussi possible de stabiliser temporairement la brique avec des ancrages vissés.

2. REPRENDRE EN ENTIER LE PAREMENT DE BRIQUE

Cette solution s'impose quand les gonflements affectent tous les étages et toute la longueur de la façade. Il faut récupérer les briques de bonne qualité et en retrouver de semblables auprès d'entreprises de maçonnerie. Cette solution ne s'applique toutefois pas aux murs massifs en maçonnerie.

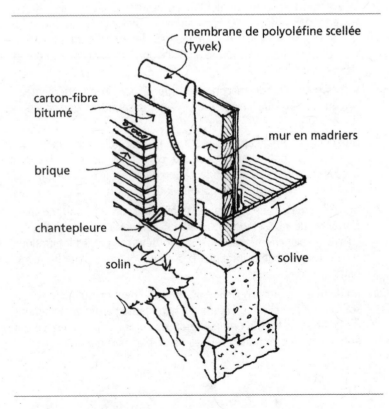

On doit défaire la brique, la nettoyer et, si nécessaire, remplacer les madriers pourris au bas du mur. On applique une membrane de polyoléfine (Tyvek ou Typar) brochée au mur en bois et, si possible, on le recouvre d'un carton-fibre asphalté de 1/2 pouce (12 mm) ou d'un isolant de même épaisseur et très perméable à la vapeur d'eau.

On installe un solin autocollant de bitume modifié sur la fondation, qu'on remonte de 6 pouces (150 mm) derrière la membrane de polyoléfine. On en installe aussi au-dessus des linteaux de portes et de fenêtres. On remet en place la brique en laissant une cavité d'air d'au moins 1/2 pouce (12 mm) entre le mur et la brique (voir p. 47). Dans le premier rang, sous les allèges et au dessus des linteaux, on installe des chantepleures toutes les trois briques. Faire usage d'un mortier pré-mélangé de type N, à base de ciment et de chaux, pour la pose de la brique. On finit les joints au fer rond et on brosse le surplus de mortier.

3. RÉPARER LE MUR EN BOIS

S'il n'y avait pas de feutre asphalté sur le mur en bois, il se peut que ce dernier soit très affecté par la pourriture et qu'il n'offre plus une surface solide permettant de fixer des attaches à maçon-nerie. Dans ce cas, il faut remplacer les pièces trop pourries et traiter le reste de la surface avec un préservatif à bois avant de recouvrir le mur d'un panneau de particules de bois OSB de 1/2 pouce (12 mm) d'épais-seur. On applique ensuite une membrane de polyolé-fine scellée sur l'OSB et on refait le parement de brique comme décrit au deuxième point.

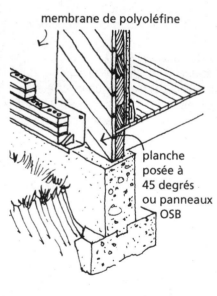

membrane de polyoléfine

planche posée à 45 degrés ou panneaux OSB

4. STABILISER UN MUR MASSIF EN MAÇONNERIE

Le gonflement des façades de murs massifs en maçonnerie porteuse ou non porteuse pose un problème particulier. La finition de plâtre et les fourrures recevant le lattis sont généralement fixées directement sur le mur, sans colombages. De plus, la plupart de ces murs sont assemblés avec boutisses pour lier le parement de brique ou de pierre avec le massif de maçonnerie situé derrière.

Ce type de mur se déforme en entraînant généralement l'ensemble de ses composantes, y compris les plinthes qui se détachent des planchers. Le problème est plus évident lorsque le mur n'est pas porteur, lorsqu'il n'y a pas de balcons et lorsque les solives de plancher le longent au lieu de s'y insérer et de lui offrir une stabilité latérale.

Il faut donc effectuer un sondage par l'extérieur pour vérifier si le massif du mur a suivi la déformation du parement et déterminer, selon le sens des solives, le rôle de chacun des murs. Si le massif du mur a suivi la déformation et s'il n'y a pas de charpente indépendante pour recevoir le plâtre, il faut envisager de stabiliser le mur par des ancrages aux planchers des étages plutôt que de le reconstruire.

Pour stabiliser le mur, il faut pratiquer des ouvertures en défaisant l'équivalent d'un pied carré (900 mm^2) de brique à chacun des ancrages prévus et calculés par un ingénieur, percer des trous d'environ 1 pouce (25 mm) de diamètre jusqu'à la troisième solive des planchers, et installer des ancrages spécialement conçus pour attacher le mur à ces trois solives.

Ensuite, on remet en place la brique (ou la pierre) de parement en dissimulant la plaque et le boulon d'ancrage.

Dans les cas où le plâtre est fixé à une charpente intérieure indépendante, il est possible de défaire et de remonter à niveau la partie du mur déformée, tout en l'attachant aux planchers.

Il est évidemment difficile de traiter les fissures et les déformations créées par les mouvements de fondation dans ce type de mur. Il faut recourir à une stratégie particulière pour chacune des conditions rencontrées.

Fissures dans le parement de maçonnerie

En cas de fissures causées par le déplacement des fondations, il faut d'abord régler les problèmes de sol et de fondation avant de réparer ou de reprendre la maçonnerie des façades (voir p. 98-99).

Solutions

Il y a deux solutions envisageables selon l'ampleur des surfaces affectées.

En cas de déformations et de fissures peu importantes, il suffit de reprendre les joints de mortier affectés et de remplacer les quelques briques fissurées. On creuse les joints de mortier sur une profondeur équivalente à deux fois et demie leur épaisseur, puis on les remplit avec un mortier prémélangé à base de chaux et teinté en fonction de la couleur du mortier existant.

En cas de mur de maçonnerie très affecté par des fissures et des déformations, on doit le défaire et le remonter tel que décrit à la page précédente.

Brique abîmée par le gel

Solutions

1. REPEINDRE LA BRIQUE

Les briques anciennes sont classées en trois catégories, selon le degré de cuisson obtenu :

A : brique de parement, bien cuite car située sur le dessus du chargement du four;

B : brique commune souvent utilisée pour les façades arrière;

C : brique située au centre du chargement, peu cuite et poreuse, servant surtout pour la construction des murs mitoyens.

On trouve des maisons modestes dont les façades principales ont été recouvertes avec une brique de catégorie B, puis peintes à l'émail pour les protéger de l'eau et du gel, d'où la tradition des façades de couleur des maisons urbaines.

Cette peinture devient malheureusement un pare-vapeur posé du côté froid, ce qui favorise l'éclatement de la brique sous l'effet du gel. Si l'on ne veut pas remplacer la brique, il faut la faire décaper chimiquement et la repeindre cette fois avec une peinture à maçonnerie à base de latex acrylique. Ce produit permet à la vapeur d'eau provenant de la maison de traverser facilement la brique sans pour autant favoriser le passage de l'eau de pluie.

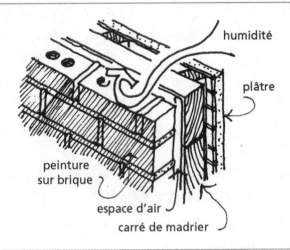

Ici, la brique poreuse se charge d'eau à cause de la peinture-émail, et les cycles de gel et de dégel du printemps la font éclater.

2. ENDUIRE UN MUR DE BRIQUE

Si un mur arrière ou un mur mitoyen exposé par une démolition offre une mauvaise qualité de brique, il est possible de le couvrir avec un enduit de ciment. On en profite souvent pour l'isoler.

Compte tenu de nos conditions climatiques, il faut toutefois appliquer les principes du mur écran de pluie si l'on veut réaliser un parement qui n'absorbera pas d'eau et qui s'assèchera facilement.

On fixe sur la brique des fourrures métalliques de 3/4 pouce (19 mm) posées verticalement tous les 12 pouces (300 mm) de façon à former une cavité d'air entre la brique et le nouveau parement.

Par la suite, on met en place des fourrures horizontales entre les fourrures verticales pour fixer le périmètre des panneaux de fibro-ciment, sans nuire au drainage des cavités verticales. On installe une moustiquaire en acier galvanisé au bas de la cavité du mur, ce qui permet à l'air de circuler et à l'eau d'être évacuée tout en protégeant l'espace des insectes et des rongeurs.

On scelle les joints entre les panneaux et on les renforce d'un tissu de fibre de verre, puis on recouvre le mur d'un enduit acrylique.

Dans le cas d'un mur mitoyen, on remplace le contre-solin du toit pour qu'il s'ajuste à la nouvelle épaisseur du mur et couvre bien le nouvel enduit.

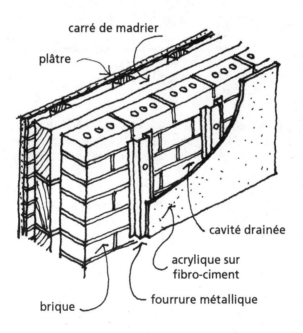

carré de madrier

plâtre

cavité drainée

acrylique sur fibro-ciment

brique

fourrure métallique

Joints de mortier détériorés

Les anciens joints de mortier étaient à base de chaux et non à base de ciment : ils offraient une excellente performance, bien que le mortier à base de chaux soit plus friable que le mortier à base de ciment des années 1930.

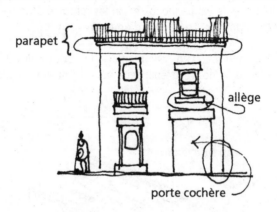

parapet

allège

porte cochère

Flexibles, étanches à l'eau et offrant une bonne adhérence à la maçonnerie, ces joints étaient moins résistants que la brique et assumaient ainsi de légers mouvements tout en se reconsolidant après fissuration.

Les mortiers de ciment, plus durs et assumant moins facilement les mouvements, ont souvent entraîné la séparation des briques et du mortier ou encore, le bris des briques elles-mêmes, créant ainsi des microfissures favorables aux infiltrations d'eau.

Le rejointoiement suppose de vider les joints, creusés par le ruissellement ou fissurés, sur une profondeur équivalente à deux fois et demie leur épaisseur. Seuls les joints horizontaux peuvent être creusés mécaniquement et finis manuellement.

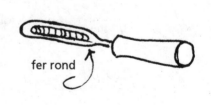

fer rond

Après avoir nettoyé les joints au soufflet, humectez la maçonnerie et le vieux mortier restant pour éviter que l'eau du nouveau mortier soit aspirée trop rapidement par l'ancien et compromette la réaction chimique le faisant durcir. Protégez le mur du soleil.

Pour le remplissage des joints, utilisez un mortier prémélangé de type « O », à base de ciment et de chaux et pouvant être coloré en usine.

Réalisez le joint en deux ou trois étapes, en laissant à chaque fois le temps au mortier de durcir un peu et de mieux adhérer à la maçonnerie.

Lissez la surface du joint, au fer rond, profil mieux adapté à nos conditions climatiques.

On peut reprendre les joints à baguettes de la même façon, en les finissant toutefois avec un joint en V incliné vers le haut et légèrement en retrait à sa base. Ce profil offre un résultat visuel assez semblable à la baguette, tout en réduisant la vulnérabilité du joint à l'eau et au gel.

Formes de joints

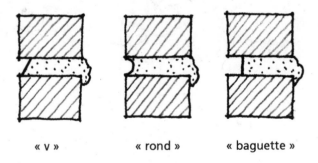

« v »   « rond »   « baguette »

Dans un parement de pierre, l'épaisseur du joint de mortier doit être rigoureusement respectée. Les joints minces doivent être creusés à la main.

Parement de brique enterré

On trouve souvent ce problème sur les façades des bâtiments de coin de rue ou de ruelle dont les niveaux ont été rehaussés avec les années ainsi que dans les cours dont le terrain a été rehaussé à la suite d'une excavation partielle de la cave ou dans le but de mieux drainer la cour vers la ruelle.

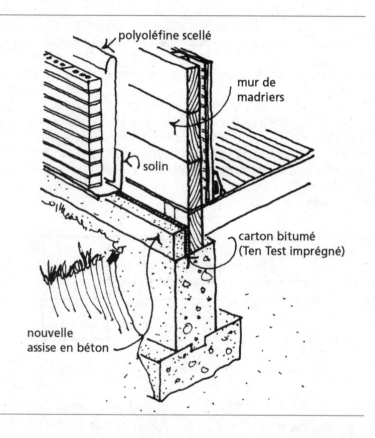

Que le mur de brique soit refait partiellement ou en entier, la solution est toujours la même. Comme le dessin le montre, il faut rehausser l'assise de la brique au moins 8 pouces (200 mm) au-dessus du niveau le plus haut du sol environnant.

Dans le cas d'une réparation, on défait la partie basse du mur de brique par tranches de 36 pouces (900 mm) en retenant temporairement la partie haute du mur avec des cornières vissées au mur en bois. On défait le mur jusqu'à au moins trois briques au-dessus du niveau prévu de la fondation.

On coule une nouvelle assise en béton, en la séparant de la charpente par un carton bitumé, et l'on utilise un solin pour séparer la brique du nouveau béton afin de contrer les remontées capillaires de l'eau. La brique saine est remise en place, par tranches, comme elle a été défaite.

Joints d'étanchéité déficients

L'eau peut s'infiltrer dans les murs non seulement à cause de la déficience des joints de mortier du parement, mais aussi à cause des joints entre le parement et les autres composantes du mur (cadres de fenêtres et de portes, solins métalliques s'insérant dans la maçonnerie, accessoires de mécaniques et surfaces de balcons). Mentionnons aussi les joints entre les feuilles de métal confectionnant, au toit, les contre-solins des murs parapets.

Bien scellés, tous ces joints contribuent à rendre le parement étanche à l'eau. C'est pourquoi il faut utiliser des produits de scellement de première qualité, compatibles avec les matériaux avec lesquels ils sont mis en contact. Il faut de plus savoir que les produits posés horizontalement se détériorent deux fois plus vite que ceux posés verticalement.

Les matériaux de scellement offrant une bonne capacité de mouvement (25 %) sont les suivants : polysulfure, silicone, polyuréthane et élastomère. Il faut également lire les étiquettes sur les cartouches que vous achetez pour connaître les matériaux sur lesquels ces produits peuvent être appliqués.

Pour que le produit s'étire sans se fissurer, il est recommandé de donner au scellant une forme arrondie et concave au fur et à mesure que vous l'appliquez. Pour ce faire, utilisez un doigt que vous mouillez régulièrement pour ne pas qu'il adhère au produit.

Pour qu'un scellant puisse s'étirer normalement, la forme que vous lui donnez doit pouvoir se comporter comme un élastique. C'est pourquoi il est recommandé de faire un joint deux fois plus large que profond.

Composition des murs extérieurs au Québec

Il existe au Québec plusieurs assemblages de murs extérieurs, correspondant à différentes époques de construction. Lorsqu'on décide de la stratégie à suivre pour isoler ces murs, il est important de bien identifier leurs composantes.

Chronologiquement, on trouve d'abord le mur à colombages pierrottés et le mur massif de pierre du début de la colonie, puis le mur de pièce sur pièce, en madriers sur le plat et en bois cordé adoptés dans les régions riches en bois.

La charpente dite à claire-voie s'est répandue avec la venue au Québec des Loyalistes et l'évolution du mur à colombages pierrottés. Les murs à colombages lambrissés d'une planche intérieure et extérieure franchissent alors deux étages et sont parfois remplis de matériaux isolants locaux.

Au XIXe siècle, le mur massif en pierre est progressivement remplacé par le mur massif en brique, et le mur de pièce sur pièce est remplacé par le mur en carré de madrier recouvert, dans les villes, d'un parement de maçonnerie incombustible.

Les constructeurs de l'après-guerre utilisent la charpente dite à plate-forme, dont les murs à colombages lambrissés sur la face extérieure se limitent à la hauteur d'un étage et commencent à recevoir une mince couche de 2 1/2 pouces (64 mm) d'isolant industriel avec pare-vapeur intégré. Le lambrissage de contreplaqué, reconnu comme matériau pare-vapeur posé du côté froid du mur, est remplacé dans les années 1960 par un lambris de carton-fibre bitumé plus perméable à la vapeur d'eau.

Avec la crise pétrolière, à partir de 1972, les murs en carré de madrier sont isolés par l'intérieur à l'aide de 2 x 3 (38 x 64 mm) tous les 16 pouces (400 mm), fixés sur la face du carré et remplis d'une laine isolante de 2 1/2 pouces (64 mm) recouverte d'un pare-vapeur intégré. Les murs à plate-forme en 2 x 4 (38 x 89 mm) sont remplis d'une laine isolante de 3 1/2 pouces (89 mm) avec ou sans pare-vapeur intégré. On isole aussi les toitures avec une laine de 6 pouces (150 mm) d'épaisseur insérée entre les solives de plafond.

Aujourd'hui, les murs à plate-forme en 2 x 6 (38 x 140 mm) sont remplis d'isolant et munis d'un pare-vapeur à l'intérieur, d'un lambris de particules et d'une membrane pare-air scellée à l'extérieur.

Valeur thermique des murs extérieurs

De nos jours, la valeur isolante d'un mur n'est pas évaluée seulement en fonction de sa valeur R ou RSI, mais aussi de sa masse thermique, soit la vitesse à laquelle il emmagasine ou perd de la chaleur.

À titre d'exemple, une maison se refroidira beaucoup plus rapidement si elle a des murs à colombages remplis de laine de verre que si elle a des murs massifs de brique ou de pièce sur pièce. D'ailleurs, pour ce qui est des murs massifs de brique ou de pièce sur pièce, il convient d'améliorer leur étanchéité à l'air, plutôt que de les isoler et de détruire le caractère de la maison.

Pour le mur en carré de madrier de 3 pouces (75 mm) recouvert d'un parement de brique, la résistance R totale est d'environ 7,6, soit une RSI de 1,34, alors que les normes actuelles exigent une R de 20, soit une RSI de 3,52.

Pour le mur de brique de 12 pouces (300 mm) d'épaisseur recouvert à l'intérieur d'un fini de plâtre sur lattis fixé à des fourrures, la résistance R totale est d'environ 5,4, soit une RSI de 0,95.

Enfin, pour le mur à colombages de 3 pouces (75 mm) rempli de bran de scie et recouvert d'une planche à clin à l'extérieur et d'une planche en V à l'intérieur, la résistance R totale est d'environ 12,5, soit une RSI de 2,20.

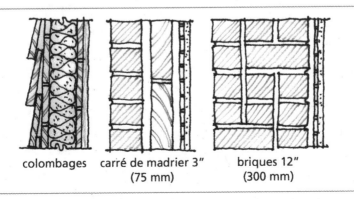

colombages   carré de madrier 3"   briques 12"
                         (75 mm)   (300 mm)

Le problème de ces murs tient au fait qu'ils n'offrent pas tous une bonne étanchéité à l'air. Comme il n'y a pas toujours de feutres goudronnés dans ces assemblages pour sceller un peu les joints entre les planches, les briques ou les madriers, c'est le plâtre intérieur ou la petite planche en V qui agit comme matériau pare-air.

Quand et comment isoler les murs extérieurs

Comme nous l'avons déjà mentionné au début de ce livre, isoler les murs extérieurs est la dernière intervention à réaliser pour améliorer l'efficacité énergétique d'une maison, à moins que des travaux majeurs de rénovation incluent le dégarnissage des murs par l'intérieur ou par l'extérieur.

1. ISOLER PAR L'EXTÉRIEUR

Idéalement, on devrait toujours intervenir par l'extérieur afin de garder au chaud les matériaux de charpente du mur. On doit utiliser un matériau isolant très perméable à la vapeur d'eau (polystyrène expansé, fibre de verre rigide, fibre minérale rigide et fibre de bois) afin de ne pas appliquer un pare-vapeur du côté froid du mur car il n'y a généralement pas de pare-vapeur dans les murs de bâtiments anciens.

On en profite pour construire un pare-air étanche et continu avec les portes, les fenêtres et les autres ouvertures présentes dans les murs. Lors de la mise en place du nouveau parement, on applique également les principes de construction d'un mur écran de pluie.

Ces interventions extérieures doivent s'accompagner d'une améliora-tion de l'étanchéité à la vapeur d'eau du fini intérieur. On scelle donc le bas des plinthes et les prises électriques donnant sur ces murs. On applique aussi deux bonnes couches de peinture-émail sur le plâtre, ce produit agissant comme pare-vapeur lorsque placé du côté chaud du mur.

Il est toutefois peu fréquent d'utiliser cette méthode pour les murs recouverts d'un parement de maçonnerie de qualité. On y recourt lorsque la maçonnerie est à refaire ou, dans le cas des maisons rurales en bois, lorsque le parement pourri est à remplacer. Il faut toutefois accepter de reprendre entièrement les parements de bois, y compris les éléments décoratifs et les détails architecturaux. Autrement, notre patrimoine subit un appauvrissement déplorable.

2. ISOLER PAR L'INTÉRIEUR

Lorsqu'on isole par l'intérieur, il faut toujours mettre en place un très bon pare-vapeur et construire un pare-air efficace. En effet, le mur existant et son parement gèlent davantage. Il faut donc que ce parement soit en bon état, qu'il absorbe peu d'eau et que peu ou pas de vapeur d'eau provenant de la maison se condense dans ce mur maintenant froid.

Une façon de faire consiste à fixer un panneau de type Énermax ou son équivalent à la charpente recevant le nouvel isolant et à sceller les joints entre les panneaux avec un ruban gommé recouvert d'aluminium. Ce produit, fabriqué à partir d'un panneau de fibre de bois de 1/2 pouce (12 mm) d'épaisseur et recouvert d'une feuille d'aluminium, assumera simultanément la fonction de pare-air et de pare-vapeur.

Méthodes d'isolation selon les types de murs

Solutions

1. ISOLER UN MUR EN BOIS PAR L'INTÉRIEUR

Que ce soit un mur de pièce sur pièce ou en carré de madrier, la méthode la plus économique consiste à commencer par sceller la jonction entre le mur en bois, le plancher et le plafond avec un produit de scellement ou une mousse de polyuréthane utilisée autour des cadres de fenêtre.

Ensuite, on fixe, directement sur la surface dégarnie du mur, une charpente en 2 x 3 (38 x 64 mm) ou en 2 x 4 (38 x 89 mm) à 16 pouces (400 mm) de centre à centre.

Une fois qu'on a fait effectuer les travaux électriques dans cette nouvelle charpente, on y insère une laine de verre en matelas ou une fibre cellulosique soufflée, selon les recommandations du manufacturier.

On recouvre le nouveau mur avec un carton-fibre recouvert d'un pare-vapeur d'aluminium (Énermax ou équivalent), puis on scelle les joints entre les panneaux avec un ruban adhésif pour conduits de chauffage. On applique une fourrure en bois de 1 x 3 (19 x 64 mm) à 16 pouces (400 mm) de centre à centre sur le carton-fibre, puis on pose les panneaux de placoplâtre (voir le dessin de la page suivante).

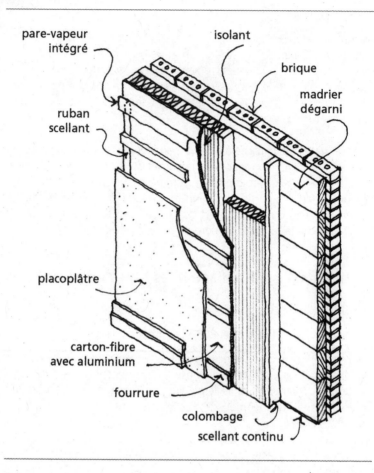

Dans le cas où l'on n'utilise pas le carton-fibre pare-air/vapeur, on broche, pleine surface, une membrane pare-air, de type Tyvek ou équivalent, sur le mur en carré de madrier ou de pièce sur pièce, on applique un pare-vapeur d'aluminium sur l'isolant et on pose le placoplâtre directement sur la nouvelle charpente. On scelle les prises électriques et le pourtour des fenêtres.

2. ISOLER UN MUR À COLOMBAGES PAR L'INTÉRIEUR

Si des murs à plate-forme ou à claire-voie sont dégarnis de l'intérieur, il est d'abord recommandé, surtout pour les murs à claire-voie, de bien compartimenter les étages par des coupe-feu et des produits de scellement, et ce, si possible à partir de la cave.

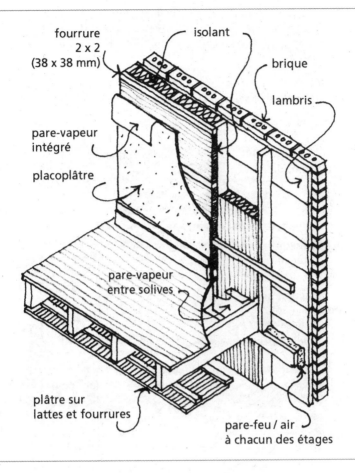

fourrure 2 x 2 (38 x 38 mm)

isolant

brique

lambris

pare-vapeur intégré

placoplâtre

pare-vapeur entre solives

plâtre sur lattes et fourrures

pare-feu / air à chacun des étages

On remplit ensuite la charpente des murs d'isolant en natte ou soufflé. Puis on construit une seconde charpente horizontale (soufflage) sur les colombages, avec des 2 x 2 (38 x 38 mm) à 16 pouces (400 mm) de centre à centre, et on la remplit de laine de verre ou d'isolant recyclé du mur d'origine. Ce soufflage permet de ramener les prises électriques près de la surface finie du mur et d'augmenter la valeur thermique.

On recouvre l'isolant d'un pare-vapeur d'aluminium renforci et on visse directement le nouveau placoplâtre dans les 2 x 2. On scelle ce fini, qui servira ici de pare-air, à sa jonction avec le plancher, au périmètre des ouvertures et aux prises électriques. Il existe aussi des placoplâtres recouverts d'un pare-vapeur d'aluminium sur une de leur face, ce qui permet d'éliminer une opération de chantier.

Comme au premier point, il est possible d'utiliser des panneaux de carton-fibre recouverts en usine d'un pare-vapeur d'aluminium et scellés (pare-air). On les fixe sur les 2 x 2, et ils peuvent recevoir directement le placoplâtre.

3. ISOLER UN MUR MASSIF EN BRIQUE PAR L'INTÉRIEUR

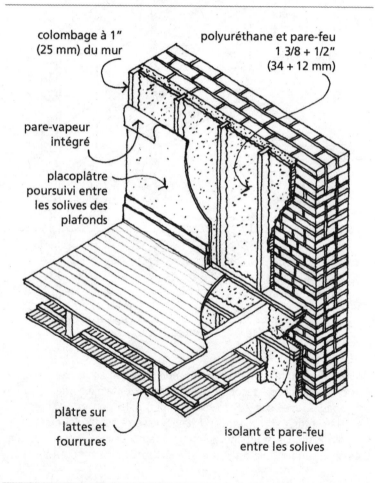

colombage à 1" (25 mm) du mur

polyuréthane et pare-feu 1 3/8 + 1/2" (34 + 12 mm)

pare-vapeur intégré

placoplâtre poursuivi entre les solives des plafonds

plâtre sur lattes et fourrures

isolant et pare-feu entre les solives

Ce type d'intervention peut poser de graves problèmes si les conditions du mur et des joints de mortier ne sont pas satisfaisantes. Si le mur absorbe beaucoup d'eau de pluie (mauvaise qualité de brique), s'il est trop long (maximum de 40 pieds - 12 mètres) ou s'il a des joints de mortier dégradés ou trop durs, le nouvel isolant, en refroidissant la maçonnerie et en la faisant geler, fera éclater la brique et le mortier et contribuera à accentuer les déformations du mur.

La démarche actuellement adoptée pour ce type de mur consiste à tenter de le rendre le plus étanche possible à l'air, tout en l'isolant au minimum. Une membrane pare-air/pare-vapeur collée au mur de brique peut suffire.

On procède à une inspection extérieure minutieuse de l'état général du mur et de ses joints de mortier. Si l'état est satisfaisant, on dégarnit entièrement le mur de son plâtre et de ses fourrures.

On construit une cloison en 2 x 3 (38 x 64 mm) avec entretoises à une distance de 1 pouce (25 mm) du mur de maçonnerie. On met ensuite en place les conduits et les prises électriques.

On fait gicler environ 1 3/8 pouce (34 mm), au maximum, de polyuréthane Airmétic en couvrant entièrement la surface et en prenant soin de gicler derrière les colombages et autour d'eux de manière à confectionner un pare-air continu.

On fait gicler un matériau pare-feu/fumée d'environ 1/2 pouce (12 mm) sur le polyuréthane (qui dégage des gaz toxiques lorsqu'il brûle), et on broche sur les colombages un pare-vapeur d'aluminium renforci d'une fibre de verre. On visse le parement de placoplâtre aux colombages et l'on procède à sa finition.

Si vous décidez d'isoler avec une laine de 2 1/2 pouces (64 mm) plutôt qu'avec un polyuréthane giclé, construisez la cloison au sol et brochez un feutre asphalté (papier noir) sur la cloison pour séparer le bois et la laine isolante de la maçonnerie. Relevez la cloison et appuyez-la sur la face de la maçonnerie. Construisez un pare-air/vapeur intérieur comme décrit au premier point.

4. ISOLER UN MUR MASSIF DE BRIQUE PAR L'EXTÉRIEUR

Il arrive que certaines conditions rendent ces murs très inconfortables pour les habitants de la maison et qu'on soit obligé d'envisager une intervention par l'extérieur. C'est le cas pour certaines façades arrière orientées nord-est et pour les murs mitoyens mis à nu de façon permanente.

Si votre comité de quartier vous y autorise, vous pouvez isoler ces murs par l'extérieur en procédant de la façon suivante. Fixez dans la brique du mur massif des barres Z galvanisées de 3 1/2 pouces (89 mm). Posez-les verticalement tous les 16 pouces (400 mm) de centre à centre, jusqu'à 8 pouces (200 mm) au-dessus du niveau du sol fini. Utilisez des colombages en acier autour des ouvertures de porte et de fenêtre.

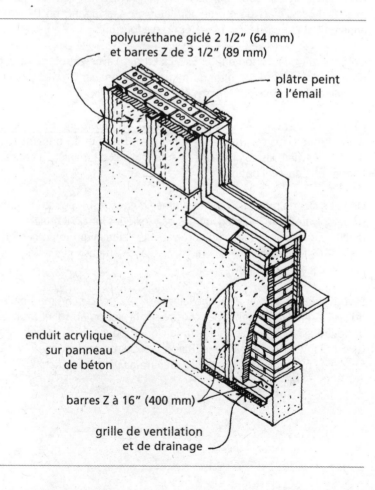

polyuréthane giclé 2 1/2" (64 mm)
et barres Z de 3 1/2" (89 mm)

plâtre peint
à l'émail

enduit acrylique
sur panneau
de béton

barres Z à 16" (400 mm)

grille de ventilation
et de drainage

Fixez un colombage, à niveau avec le dessous des linteaux et des allèges. Appliquez, sur la brique et le colombage linteau, un solin auto-collant de bitume modifié remonté de 6 pouces (150 mm) sur le mur et les deux montants qui le supportent. Avec la même membrane autocollante, recouvrez les anciennes allèges et rejoignez la face extérieure du colombage situé en dessous.

Fermez partiellement le bas du mur avec une barre Z de 2 1/2 pouces (64 mm) et finissez l'espace de drainage et de ventilation de 1 pouce (25 mm) avec une moustiquaire ou une grille continue en acier galva-nisé et résistante aux rongeurs.

Entre les colombages et les barres Z, faites gicler sur le mur de brique environ 2 1/2 pouces (64 mm) de polyuréthane. Recouvrez la charpente avec un panneau de fibro-ciment et enduisez-le d'un fini acrylique de la couleur requise par le voisinage.

À la fin des travaux, percez deux trous de drainage et de ventilation sous les nouveaux linteaux situés au-dessus des portes et des fenêtres. Assurez-vous que les trous rejoignent la cavité du mur.

5. ISOLER UN MUR EN BOIS PAR L'EXTÉRIEUR

Cette question est abordée au deuxième point de la partie traitant de la maçonnerie détériorée (voir p. 136). Cette condition porte sur les murs extérieurs en bois recouverts d'un parement de brique.

Nous traitons donc ici des murs extérieurs en bois (carré de madrier, pièce sur pièce et murs à colombages isolés et non isolés) recouverts d'un parement léger de bois, d'aluminium ou de PVC, à isoler par l'extérieur lors du remplacement du parement.

Pour décider du choix de la technique et du matériau isolant à utiliser, le premier principe à respecter est le suivant.

Si la somme des valeurs thermiques des matériaux, ajoutée à la valeur thermique du mur existant, est deux fois supérieure à la somme des valeurs thermiques du mur actuel, vous pouvez utiliser un isolant considéré comme un matériau pare-vapeur (polystyrène extrudé, thermoplastique recouvert d'une feuille d'aluminium, etc.).

Si ce n'est pas le cas et s'il n'y a pas de pare-vapeur du côté chaud du mur, il faut que le matériau et l'épaisseur de l'isolant choisis permettent à la vapeur provenant de la maison de passer facilement (fibre de bois, polystyrène expansé, laine de roche, laine de verre, etc.).

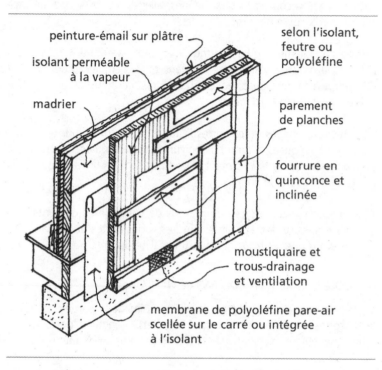

peinture-émail sur plâtre

isolant perméable à la vapeur

madrier

selon l'isolant, feutre ou polyoléfine

parement de planches

fourrure en quinconce et inclinée

moustiquaire et trous-drainage et ventilation

membrane de polyoléfine pare-air scellée sur le carré ou intégrée à l'isolant

Vous devez d'abord dégarnir le mur extérieur jusqu'au lambris de bois, de carton-fibre ou de pièce, puis appliquer sur la face extérieure de celui-ci une membrane pare-air de polyoléfine (Tyvek ou Typar) scellée au ruban gommé.

Vous pouvez alors recouvrir ce pare-air de panneaux d'isolants rigides perméables, recouverts d'un feutre asphalté pare-pluie (papier noir), retenus en place par des fourrures horizontales ou verticales tous les 16 pouces (400 mm), selon le type de parement appliqué. Vous pouvez aussi utiliser un isolant perméable recouvert en usine d'une membrane de polyoléfine dont on scelle les joints. Dans ce cas, il n'est pas nécessaire d'appliquer une membrane de polyoléfine sur le lambris du mur.

Pour appliquer un parement de planches verticales, posez les fourrures horizontalement, en quinconce et légèrement en pente pour assurer le

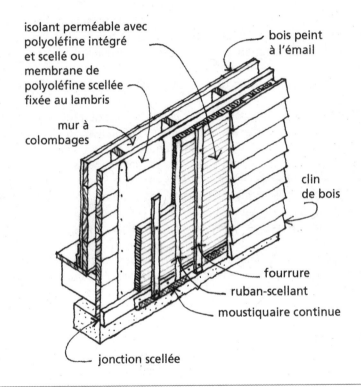

drainage et la ventilation de la cavité. Laissez des ouvertures dans la dernière fourrure et protégez-les des rongeurs en prenant les mêmes précautions que pour les fourrures verticales.

Dans le cas d'un parement de clin, fermez l'espace entre les fourrures verticales, au bas du mur, par une moustiquaire continue en acier galvanisé résistant aux rongeurs, afin de permettre à l'eau de s'écouler et à l'air de bien circuler derrière le parement.

isolant perméable avec
polyoléfine intégré
et scellé ou
membrane de
polyoléfine scellée
fixée au lambris

bois peint
à l'émail

mur à
colombages

clin
de bois

fourrure

ruban-scellant

moustiquaire continue

jonction scellée

Comme dans le premier cas, vous pouvez soit appliquer une membrane de polyoléfine sur le lambris, avant la pose de l'isolant, soit utiliser un matériau isolant perméable à la vapeur d'eau et recouvert en usine de polyoléfine, que vous scellerez sur place avec un ruban autocollant.

Avant la pose du parement de bois, protégez les isolants qui ne sont pas recouverts par un ruban autocollant et qui sont vulnérables à la pluie avec un feutre asphalté ou une membrane de polyoléfine en rouleau.

Isoler un toit plat

Les conditions à respecter

Comme nous l'avons déjà mentionné dans la partie traitant des principes, isoler un toit suppose une accumulation plus grande de neige sur les toits à faibles pentes et un risque plus grand de condensation dans l'entretoit devenu plus froid.

En général, les toits construits avec des fermes ou des chevrons, faciles d'accès de l'intérieur de la maison, ne posent pas trop de problèmes. Il suffit d'éviter d'obstruer le mouvement d'air provenant des corniches, d'ajuster la dimension des ouvertures de ventilation présentes dans les pignons ou sur les versants du toit, de rendre le plafond étanche à l'air et, s'il est impossible de mettre en place un pare-vapeur sous l'isolant, d'appliquer deux couches de peinture-émail sur le plâtre du plafond.

Ce sont les anciens toits plats qui posent le plus de problèmes : leur entretoit est difficile d'accès, et la hauteur libre pour ajouter l'isolant est limitée en raison de la distance de 3 pouces (75 mm) qu'il faut laisser entre le dessus de l'isolant et le dessous des éléments de charpente pour bien ventiler l'entretoit. De plus, plusieurs de ces toits ont des charpentes fragiles, qui ne peuvent pas supporter de très lourdes charges de neige. Il faut aussi faire percer des ouvertures de ventilation dans la couverture pour y installer de nouveaux cols-de-cygne.

Si l'on envisage d'ajouter un produit isolant dans ce type de toit, il faut donc au préalable faire vérifier par un ingénieur ou un entrepreneur compétent que la charpente du toit est en mesure de résister aux nouvelles charges anticipées. On profitera de cette inspection pour évaluer la hauteur disponible entre le dessous des éléments de charpente et la surface sur laquelle sera déposé l'isolant. En réduisant l'espace de 3 pouces (75 mm) requis pour la ventilation, on obtient l'épaisseur maximale de l'isolant qu'il est possible de faire mettre en place dans ce type de toit. De là, l'épaisseur de l'isolant variera en fonction des pentes du toit vers le drain.

Solutions

1. ISOLER UN TOIT PLAT PAR L'INTÉRIEUR

Si le plafond sous le toit est dégarni, il est possible d'insérer de l'isolant entre les solives, après avoir préalablement percé des trous de ventilation d'environ 2 pouces (50 mm) de diamètre dans la planche située au-dessus des solives pour mettre en relation l'air situé au-dessus de l'isolant et l'air de l'entretoit.

La surface totale des trous doit correspondre à 1 pied carré de ventilation par 150 pieds de surface isolée. Il en va de même pour le calcul du nombre de cols-de-cygne à mettre en place sur le toit. De plus, il faut laisser un espace de 3 pouces (75 mm) entre le dessus de l'isolant et le dessous de la planche percée de trous de façon à ce que l'air y circule librement et atteigne rapidement l'entretoit.

Fixez au plafond un pare-vapeur de type 1 sur la face de l'isolant, remettez en place les anciennes fourrures et vissez le nouveau placoplâtre aux fourrures.

Il est possible d'améliorer l'étanchéité à l'air de ce plafond en remplaçant le pare-vapeur en feuille par un panneau de carton-fibre recouvert en usine d'une feuille d'aluminium pare-vapeur (produit Énermax ou équivalent). Les panneaux sont fixés aux solives, et les joints entre les panneaux sont scellés avec un ruban gommé recouvert d'aluminium. Les fourrures et le placoplâtre complètent le travail de finition.

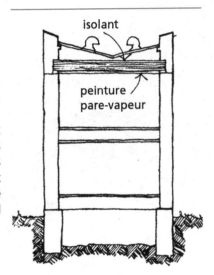

isolant

peinture
pare-vapeur

2. ISOLER UN TOIT PLAT PAR L'EXTÉRIEUR

Si la membrane du toit est à refaire, si l'entretoit est assez haut pour pouvoir déposer une couche isolante sur le dessus de la planche recouvrant les solives du plafond, et si la charpente est en mesure de supporter de plus grandes charges de neige, on combinera les deux opérations de chantier en procédant à l'isolation de l'entretoit par l'extérieur avant de faire reprendre la membrane d'étanchéité de la toiture.

L'opération consiste à pratiquer des ouvertures dans la couverture et le platelage de bois pour permettre aux ouvriers d'accéder aux parties les plus hautes de l'entretoit, de consolider la charpente, si nécessaire, et de projeter la couche isolante en vrac (fibre de verre ou de cellulose).

Comme la hauteur de l'entretoit sous les chevrons varie en fonction des pentes de drainage du toit et se réduit considérablement au drain, il est conseillé, pour maintenir un dégagement de 3 pouces (75 mm) entre le dessus de l'isolant et le dessous des chevrons, de faire varier l'épaisseur de l'isolant en suivant les pentes des chevrons.

On referme les ouvertures et on en pratique de nouvelles, de 12 x 12 pouces (300 x 300 mm) pour ventiler l'entretoit. Le couvreur refait alors la membrane d'étanchéité ou se limite à réparer celle qui a été percée.

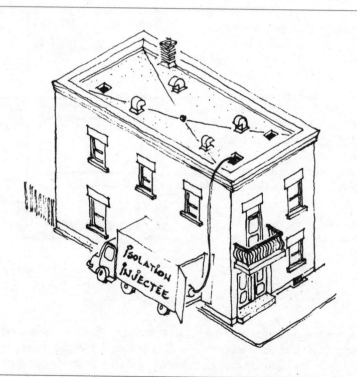

Isoler les murs de fondation

Mise en garde

Dans les nouvelles constructions, on isole les murs de fondation en béton par l'extérieur, ce qui présente l'avantage de maintenir au chaud ces murs et de s'en servir comme masse thermique. Comme il n'est souvent pas possible de procéder de la sorte sur d'anciens bâtiments, on procède à l'isolation par l'intérieur. Cette solution a toutefois l'inconvénient de refroidir les murs et, éventuellement, de les faire geler. Ce nouveau mur froid, situé derrière un nouveau mur isolé, crée des conditions favorables à la condensation de vapeur provenant de la maison ou du sol environnant. Cette condensation peut contribuer au développement de champignons.

Pour bien gérer ce nouvel assemblage de mur, il faut suivre un ensemble de directives, selon les conditions de chacun des murs à isoler.

Murs en pierre

Les conditions requises et la façon de procéder pour isoler ce type de mur sont traitées à la page 93. Il s'agit de les rendre étanches à l'air.

Murs en béton du début du xxᵉ siècle

Dans les sols saturés d'eau, les premiers bétons, pauvres en ciment et souvent mal malaxés manuellement, sont fragilisés par une dégradation progressive des murs de fondation de cette époque. Les isoler contribuera à les dégrader encore plus rapidement. Avant de penser à les isoler, il faut d'abord les réparer et parfois même les remplacer complètement, les drainer et les rendre étanches à l'eau par l'extérieur.

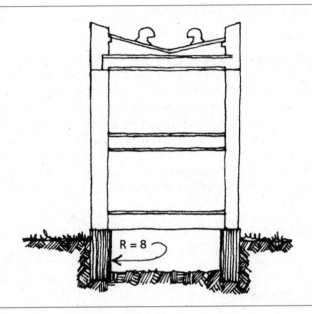

Murs en béton de bonne qualité

Il existe deux méthodes pour isoler ce type de mur : l'application d'un isolant en natte dans un mur à colombages et l'application d'un isolant rigide directement sur les surfaces de béton. Avant de recourir à ces méthodes, il faut avoir résolu les problèmes d'infiltration d'eau et d'humidité à travers les murs.

Solutions

1. UTILISER UN ISOLANT EN NATTE

S'il y a déjà un plancher de bois sur la dalle du sous-sol, commencez par sceller le joint à la jonction entre le mur de fondation et le plancher pour éviter que l'air humide circule derrière le nouveau mur isolé. Scellez aussi le joint à la jonction du mur de fondation et de la charpente du plancher du rez-de-chaussée.

Pour chacun des murs, construisez sur le plancher une charpente en 2 x 3 (38 x 63 mm) ou en 2 x 4 (38 x 89 mm), que vous recouvrirez d'une membrane de polyoléfine ou d'un feutre asphalté broché sur la face de la charpente devant s'appuyer sur le mur de béton, afin de séparer le bois et l'isolant du béton. Relevez la charpente des murs et mettez en place le filage électrique requis. Scellez les prises de courant et les autres conduits traversant les murs.

Remplissez de laine de verre ou de fibres minérales la charpente et l'espace entre les solives situées au-dessus du mur. Couvrez le mur d'un pare-vapeur et d'un placoplâtre. Le pare-vapeur et le placoplâtre doivent aussi recouvrir l'isolant inséré entre les solives situées au-dessus du mur. Laissez un espace d'environ 1/2 pouce (12 mm) entre le plancher fini, les solives du plafond et le placoplâtre, et scellez ce joint continu de manière à confectionner un pare-air étanche.

2. UTILISER UN ISOLANT RIGIDE

Pour appliquer cette méthode, il faut que la surface des murs en béton soit droite et présente peu d'imperfections, car un vide d'air laissé entre le béton et l'isolant rigide favorisera la formation de givre si la finition intérieure n'est pas étanche à l'air. Pour cette même raison, il est recommandé d'appliquer généreusement la colle compatible avec l'isolant choisi sur toute la surface de l'isolant, et non pas par plots comme autrefois.

Certains isolants ont des rainures qui permettent d'y encastrer des fourrures métalliques, qu'on fixe mécaniquement au béton à travers l'isolant. Les isolants de polystyrène doivent toutefois être recouverts d'un placoplâtre, les gaz s'y dégageant lors d'un incendie étant très toxiques.

Il faut aussi recouvrir ces isolants d'un pare-vapeur. Pour simplifier ce travail, il existe des placoplâtres sur lesquels un pare-vapeur d'aluminium a été collé en usine (sur commande seulement). Le placoplâtre et le pare-vapeur sont donc posés en une seule opération sur les fourrures métalliques. On scelle le placoplâtre sur son périmètre tel que décrit précédemment.

REVÊTEMENT INTÉRIEUR EN PLÂTRE

Plâtre fissuré

Certaines fissures présentes dans les anciens plâtres ou dans les panneaux de placoplâtre constituent de bons indices pour comprendre comment se comporte la charpente de la maison : le plâtre étant très fragile, il ne peut en effet subir de grosses déformations sans en porter des traces. Non seulement le plâtre sur lattes se fissure, mais il a aussi tendance à se détacher de la charpente du mur si le mouvement induit dans ses lattes est trop important.

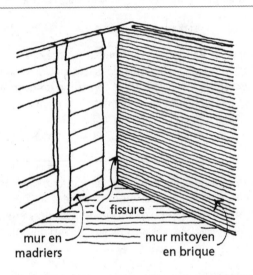

fissure

mur en madriers

mur mitoyen en brique

Les quatre principales causes des fissures sont les suivantes :

1. la rencontre entre une charpente en bois qui bouge selon les saisons et un mur mitoyen en maçonnerie, lesquels réagissent différemment aux poids qu'ils reçoivent (la plupart du temps, le plâtre est appliqué directement sur la brique, mais pas sur le mur en bois);

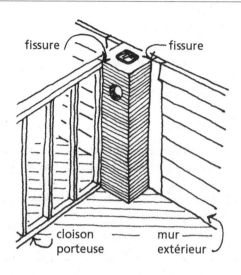

fissure — — fissure

cloison — mur — porteuse extérieur

2. la rencontre d'une surface chaude de mur et d'une surface froide, comme c'est le cas des cheminées;

3. les tassements différentiels dans les cloisons porteuses provoqués par des concentrations de charges, des déformations de charpente et des mouvements de fondation;

4. les surcharges saisonnières de neige et de glace sur le toit et sur les cloisons porteuses.

Solutions

1. SÉPARER LES SURFACES

Dans le cas de fissures de coin revenant constamment, on scie le coin de plâtre, on brise l'une des faces sur environ 2 pouces (50 mm) et on met en place une moulure de métal en J permettant de séparer les deux surfaces de plâtre. Ensuite, on refait la partie endommagée des surfaces et on repeint.

2. RÉGLER LE PROBLÈME DE STRUCTURE

Dans le cas de fissures provenant de mouvements différentiels dans la charpente ou les fondations, avant de réparer les fissures, il faut d'abord trouver les causes de ces mouvements et tenter de les régler. La position et la forme des fissures indiquent le type le tassement de la charpente et le lieu où il s'est produit.

3. RÉPARER LES FISSURES

Les petites fissures peuvent être remplies, à l'aide d'un doigt, avec un scellant acrylique proprement appliqué dans la fissure, puis repeint.

Pour les plus grosses fissures, là où le plâtre s'est détaché de son fond de mortier, on doit briser le plâtre de chaque côté de la fissure sur environ 2 pouces (50 mm) de largeur et refaire à la fois la couche de fonds et la couche de finition avec un mélange de ciment à joints et de plâtre de Paris (50/50). Il faut procéder en trois étapes, en incorporant lors de la deuxième couche un ruban à joint de fibre de verre.

Plâtre gonflé

Les mouvements de charpente finissent par déformer les lattes de bois qui retiennent le plâtre. Les attaches de plâtre se brisent et la surface se détache lentement des lattes du mur.

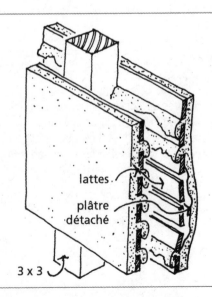

lattes

plâtre détaché

3 x 3

Solution

En appuyant d'abord sur le plâtre, on vérifie si les surfaces gonflées s'enfoncent. Le plâtre peut en effet se déformer sans nécessairement se détacher de la latte.

Si la surface s'enfonce facilement, on la démolit jusqu'à la latte, puis on remplit le trou en y vissant un panneau de placoplâtre légèrement plus mince que le vieux plâtre. On recouvre le placoplâtre avec un mélange de ciment à joint et de plâtre de Paris (50/50) sur une épaisseur d'environ 1/8 pouce (3 mm), en prenant soin de bien remplir le joint entre le vieux plâtre et le placoplâtre.

Avant de démolir la surface gonflée, il est recommandé de retenir le plâtre autour de cette surface avec quelques vis servant pour la pose du placoplâtre. On doit insérer légèrement les têtes dans le vieux plâtre sans le fissurer. Autrement, on risque de démolir une surface beaucoup plus grande que la surface gonflée.

Plâtre très fissuré mais bien attaché

Dans le cas de surfaces de plâtre très fissurées mais qui ne se détachent pas des lattes de bois, vous avez intérêt à couvrir toutes les surfaces avec du plâtre. Vous conserverez ainsi toutes vos moulures décoratives et éviterez une démolition désagréable.

Solution

Utiliser la colle.

Lavez bien les surfaces peintes pour éliminer toutes les graisses.

Décapez à la vapeur ou à l'eau chaude les surfaces de plâtre recouvertes de tapisseries, même si celles-ci ont été peintes, car le travail du plâtrier ne peut vous être garanti sur une telle surface.

Le plâtrier recouvre les fissures d'un ruban de fibre de verre et applique, sur toute la surface du mur, une colle spécialement conçue pour recevoir un plâtre de finition.

Le mur est alors recouvert d'une mince couche de plâtre, de 1/8 à 1/4 pouce (3 à 6 mm), qui nivelle les légères déformations.

Il ne vous reste plus qu'à laisser sécher, à sabler légèrement et à peindre.

Plâtre très détérioré

En cas de surfaces de plâtre très déformées qui se détachent de la latte de bois, trois solutions sont généralement applicables.

Solutions

1. DÉGARNIR PARTIELLEMENT

Cette solution permet de conserver les éléments décoratifs et les boiseries et évite de perdre le caractère des pièces concernées par les travaux. Voici les étapes à suivre.

Libérez la latte de bois de son plâtre, en sciant auparavant la surface, juste sous les moulures, pour éviter qu'elles ne s'arrachent.

Laissez en place les plinthes, les boiseries des ouvertures et les lattes de bois.

Vissez des panneaux de placoplâtre de 3/8 pouce (9 mm) directement sur la latte, en les glissant le mieux que vous pouvez derrière les boiseries et les plinthes.

Tirez les joints, scellez les têtes de vis, sablez et repeignez les nouvelles surfaces.

Cette méthode est plus longue et plus délicate qu'un dégarnissage complet, mais si vous le faites vous-même, c'est relativement simple.

2. COUVRIR LE VIEUX PLÂTRE

C'est la solution à privilégier si la charpente est solide, s'il n'est pas nécessaire de refaire toutes les surfaces et si vous voulez éviter à tout prix la démolition. Voici les étapes à suivre.

Démolissez les surfaces trop déformées.

Appliquez, directement sur le vieux plâtre, des panneaux de placoplâtre vissés aux lattes de bois et à la charpente des murs.

Pour éviter des mauvais joints entre les panneaux, les plinthes et les cadrages des portes, installez un arrêt métallique continu qui recevra les panneaux sur les boiseries.

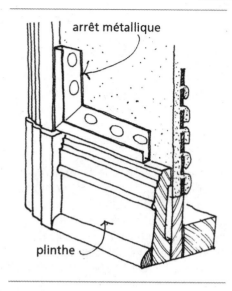

arrêt métallique

plinthe

Enlevez les vis qui passent entre les lattes. Autrement, vous les verriez éventuellement ressortir plus tard.

Cette solution n'est pas la plus élégante, car elle réduit de façon marquée les saillies des boiseries. De plus, vous ajoutez une charge à une cloison qui s'est déjà déformée. Avant de choisir cette méthode de réparation, vous devez donc en analyser les conséquences.

3. DÉGARNIR COMPLÈTEMENT

Cette option est à privilégier lorsque des travaux majeurs de rénovation et de réaménagement sont nécessaires. Dans ce cas, il faut arracher autant le plâtre que les lattes de bois.

Vous pouvez toutefois prendre le temps de récupérer vous-même les boiseries : retirez-les délicatement et numérotez chacune des pièces de façon à pouvoir les reposer à la fin des travaux.

Cette méthode, lorsqu'elle s'impose, permet d'effectuer sans problème la réfection des nouveaux services comme la plomberie, l'électricité et la ventilation.

Elle donne aussi l'occasion d'isoler les murs extérieurs et les plafonds contre les pertes de chaleur et contre les bruits.

Les panneaux de placoplâtre sont alors directement vissés soit à l'ancienne, soit à la nouvelle charpente des murs et des plafonds, selon leurs nouveaux assemblages.

PORTES ET FENÊTRES

Problèmes et causes

Ces composantes de l'enveloppe du bâtiment et de son architecture pèsent lourdement dans l'équilibre et le caractère des façades d'une maison. Il vaut toujours mieux tenter de les réparer que de les remplacer, à moins que vous soyez prêt à payer pour les remplacer par un modèle identique, ce qui, dans bien des cas, entraîne des problèmes de coûts.

Il est donc essentiel de faire évaluer l'état de vos portes et de vos fenêtres par un expert indépendant qui, en se fondant sur plusieurs critères, à la fois techniques, financiers et architecturaux, saura vous guider dans vos décisions. Cette démarche s'impose depuis que les municipalités, prenant conscience de l'importance de ces décisions sur la qualité de notre architecture, ont fixé des règles visant la protection du patrimoine bâti et obligent les propriétaires à s'y conformer.

Les portes et les fenêtres sont les parties mobiles de l'enveloppe. C'est pourquoi elles contiennent des joints, une quincaillerie et des matériaux relativement légers.

Les problèmes proviennent de ces trois composantes qui sont affectées par la pourriture, l'excès de peinture, le bris de pièces de quincaillerie, la déformation de la charpente des murs et des ouvertures, ou par l'usure des pièces de bois, ou encore par l'absence de coupe-froid.

Ce sont ces questions qui sont abordées lors de l'évaluation technique des ouvertures.

Portes de bois en mauvais état

Solutions

1. AJUSTER LA PORTE

Cette solution vaut dans deux cas de figure : soit la charpente du mur et le cadre de la porte se sont déformés, soit l'excès de peinture et l'humidité rendent la porte difficile à manipuler durant l'été.

Dans ces conditions, vous devez bien enfoncer les vis des charnières, localiser les endroits où le joint est trop serré, enlever la porte, la varloper, la remettre en place, ajuster la quincaillerie si nécessaire et repeindre la porte.

2. RÉPARER LA PORTE

Dans le cas d'une porte de grande valeur pour la maison, il est possible, pour un ébéniste, de défaire l'assemblage de la porte et de remplacer la traverse du bas qui, bien souvent, est la partie la plus détériorée par la pourriture. On décape ensuite la porte et on la repeint en prenant la précaution de bien sceller les joints entre ses composantes.

3. REMPLACER LA PORTE

Si la porte n'est pas récupérable, il est possible d'en faire fabriquer une autre en respectant les proportions et les caractéristiques architecturales de l'ancienne. Il faut alors prendre en considération le choix du matériau – bois peint –, ainsi que la grandeur et les proportions de la partie vitrée. Il se peut que le seuil de porte et le cadre en entier doivent également être remplacés.

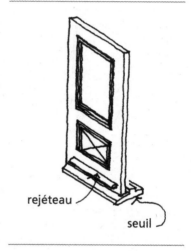

rejéteau

seuil

La nouvelle porte doit être fabriquée pour résister aux intempéries et avoir au moins 1 3/4 pouce (45 mm) d'épaisseur. Si l'ancien modèle n'en contenait pas, on fait ajouter un rejéteau sur la traverse du bas pour protéger à la fois le seuil et la traverse.

4. AMÉLIORER L'ÉTANCHÉITÉ À L'AIR DE LA PORTE

Il existe plusieurs moyens de rendre étanches les joints entre la porte et le cadre. On peut installer des coupe-froid sur le cadre et la porte, redresser les rives de la porte pour compenser la déformation du cadre ou ajouter de nouveaux butoirs autour d'une porte qui a gauchi et qui ne s'y appuie plus.

A) POSER DES COUPE-FROID

Installez un coupe-froid en vinyle ou en toile sur le cadre du côté de la poignée et dans le haut de l'ouverture, et sur la porte du côté des charnières. Le coupe-froid ajustable de vinyle est le plus recommandé.

Au bas de la porte, installez un coupe-froid de cuivre en forme de V entre la porte et le seuil. Ce type de coupe-froid, qui s'écrase entre les rives de la porte et le cadre, peut aussi être posé sur tout le périmètre du cadre, à la condition que soit bien réajustée la porte dans son cadre et que la partie installée sur le seuil soit nettoyée régulièrement.

Les types de coupe-froid

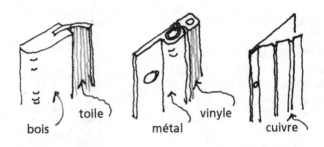

bois — toile — métal — vinyle — cuivre

Si votre budget vous le permet, vous avez tout intérêt à faire installer des coupe-froid encastrés dans la porte et le cadre. Il faut que la porte soit stable, c'est-à-dire qu'elle ait eu le temps de très bien sécher. Cette solution requiert une main-d'œuvre qualifiée.

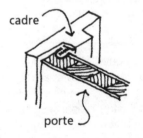

cadre

porte

B) REDRESSER LES RIVES DE LA PORTE

S'il y a déjà des coupe-froid et si la porte laisse quand même passer l'air froid, il peut être nécessaire de redresser les rives de la porte pour les rapprocher du cadre qui s'est déformé sous l'effet d'un tassement différentiel de la façade. C'est une très bonne façon de conserver une jolie porte, qu'il serait coûteux de remplacer, tout en réglant un problème de vieillissement de la maison.

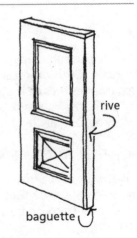

rive

baguette

On découpe les baguettes selon la forme du joint entre la porte et le cadre, puis on les colle et on les cloue aux rives traitées. On chasse ensuite les clous pour pouvoir varloper les nouvelles baguettes.

C) AJOUTER DE NOUVEAUX BUTOIRS

Si la porte s'est tordue et si le coupe-froid ne suffit plus à fermer l'ouverture entre la porte et le butoir du cadre, il est possible d'ajouter un nouveau butoir sur l'ancien. Il faut toutefois s'assurer de rendre le joint entre les deux butoirs bien étanche à l'air, par un scellant souple d'acrylique, et d'ajuster le nouveau butoir en fonction de la déformation de la porte et de la face intérieure de l'ancien butoir.

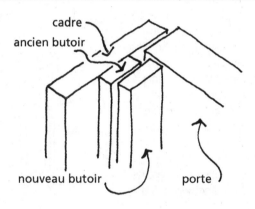

Fenêtres de bois en mauvais état

Solutions

1. RÉPARER LES FENÊTRES

Comme nous l'avons déjà indiqué, plutôt que de remplacer les fenêtres, il est généralement préférable de les réparer et d'améliorer leur étanchéité à l'air. Certaines entreprises sont spécialisées dans ce domaine et sont en mesure de vous préparer une offre de service comprenant la réparation, l'étanchéisation à l'air des volets et, si nécessaire, le remplacement des parties trop détériorées.

Les problèmes liés aux fenêtres à guillotine se résument à des cordes de contrepoids brisées, à une allège pourrie, à une traverse de volet pourrie ou disloquée, à un volet supérieur pris dans la peinture et devenu fixe, à des joints peu étanches entre le cadre et les volets et à de la peinture écaillée sur les boiseries extérieures.

On peut traiter tous ces problèmes sans nécessairement remplacer la fenêtre en entier. Il est facile de remplacer une corde brisée ou un volet de guillotine pourri lorsqu'on installe les nouveaux coupe-froid, les volets extérieurs de la fenêtre double ou encore les cadres de surface de ces fenêtres. On peut aussi gratter les surplus de peinture au moment de repeindre les fenêtres.

Avant d'entreprendre les démarches pour remettre les fenêtres en état à un coût raisonnable, il faut déterminer si elles sont récupérables et vouloir conserver le caractère architectural de sa maison. Il est important de suivre cette démarche jusqu'au bout, en sachant à quel moment l'entreprise concernée pourra réaliser le travail. Si les conclusions sont négatives, vous pouvez envisager de procéder aux démarches nécessaires pour remplacer les fenêtres.

« guillotine »

volets

« française »

2. REMPLACER LES FENÊTRES

Pour une personne qui n'est pas familiarisée avec la construction, il n'est pas facile de choisir une nouvelle fenêtre : les matériaux proposés sont en effet multiples, et les assemblages sont tout aussi variés. Il faut également choisir le modèle de fenêtre convenant au caractère de la maison, ainsi que la manière d'installer la nouvelle fenêtre dans le mur existant.

Il est fortement recommandé de consulter un professionnel. Une fenêtre est un assemblage complexe à évaluer, et seuls l'expérience et l'analyse des résultats de laboratoire peuvent faciliter cette évaluation.

Pour estimer la performance technique des fenêtres et des portes-fenêtres, on peut toutefois se fier à la classification des produits du marché selon le degré de performance de leurs assemblages testés en usine (voir p. 68).

Il existe d'autres classifications portant sur la résistance de la fenêtre aux intrusions ainsi que sur la résistance thermique offerte par le double ou le triple vitrage. Il suffit de demander les résultats de ces tests aux entreprises visitées et de comparer les produits proposés.

Les fenêtres sont généralement construites en bois, en aluminium, en vinyle, en polychlorure de vinyle (PVC) et en fibre de verre. Ces matériaux sont souvent combinés pour améliorer la performance thermique des membrures, ou pour les protéger des rayons ultraviolets, ou encore pour éviter de les peindre sur la face extérieure exposée, ou enfin pour obtenir un fini plus noble sur la face intérieure apparente.

Le professionnel consulté saura vous conseiller en fonction de votre budget sur le modèle requis pour votre bâtiment, la couleur à privilégier, le matériau que vous souhaitez voir dans votre maison et la façon dont la fenêtre doit être mise en place dans le mur.

Voici une liste des critères habituellement pertinents pour choisir une nouvelle fenêtre :
- la forme des anciennes fenêtres et le style de la maison;
- le matériau le plus approprié pour le bâtiment;
- la couleur la plus souhaitable par rapport aux matériaux du bâtiment;
- la nécessité ou non d'intégrer d'anciens vitraux aux fenêtres;
- la présence ou l'absence de fenêtres doubles;

- le budget disponible par fenêtre;
- la possibilité ou non de conserver les cadres et les boiseries existants;
- le degré d'entretien souhaité;
- la facilité de lavage du vitrage;
- la présence d'un écran pare-pluie entre les volets et le cadre;
- la présence d'un écran pare-pluie autour du vitrage;
- la durabilité du matériau servant de garniture d'étanchéité;
- la présence et la position du pare-air/vapeur aux volets;
- la présence et la position du pare-pluie aux volets;
- la présence de trous de drainage au bas des volets;
- la classification de la fenêtre selon les tests effectués;
- les matériaux présents dans la fabrication du verre scellé;
- la valeur thermique à long terme du verre scellé;
- la qualité de la quincaillerie;
- la résistance aux intrusions offerte par le produit;
- la position de la moustiquaire et la facilité d'entretien;
- la qualité des garnitures d'étanchéité autour du vitrage;
- le degré de finesse des membrures du cadre et des volets;
- le mode d'attache de la fenêtre au mur extérieur;
- la profondeur de la boîte de la fenêtre et de ses extensions;
- la possibilité, si c'est nécessaire, d'agrafer une allège au bas du cadre;
- les couleurs offertes sans coûts supplémentaires.

La pose d'une nouvelle fenêtre

Vous devez accorder autant d'attention et de soin à la pose d'une nouvelle fenêtre qu'au choix de cette fenêtre. Pourquoi choisir une fenêtre très performante en matière d'infiltrations/exfiltrations si l'eau, l'air et la vapeur peuvent aisément circuler entre le mur et le nouveau cadre de la fenêtre?

Le cadre de la nouvelle fenêtre doit donc s'avancer d'au moins 1 pouce (25 mm) sur la façade de pierre ou de brique pour permettre de fermer la cavité laissée derrière le parement et de sceller cette jonction avec une garniture d'étanchéité à l'eau sur le périmètre extérieur du cadre. Si le cadre de la fenêtre n'est pas assez profond pour rejoindre le parement et permettre de positionner la fenêtre dans la partie chaude du mur, on fera appel à des extensions, qui sont généralement fournies par le fabriquant de fenêtre.

De plus, il faut vous assurer que l'eau pouvant circuler derrière le parement de maçonnerie ne vient pas s'insérer dans le joint laissé entre le haut de la fenêtre et le haut du mur extérieur. Si vous avez des inquiétudes à ce sujet, avant de poser la fenêtre, collez une membrane autocollante de façon à rejoindre le dessous des linteaux de bois et de maçonnerie sur toute la longueur de l'ouverture. L'eau pouvant s'y retrouver se déversera ainsi de part et d'autre de la fenêtre.

Une fois la fenêtre mise à niveau et fixée à la charpente du mur, scellez les joints laissés entre le cadre et le mur avec une mousse de polyuréthane spécialement conçue pour cet usage. Recouvrez cette garniture d'étanchéité à l'air avec la nouvelle finition, puis scellez le tout pour rendre les joints étanches à la vapeur d'eau.

Si les anciens cadres de fenêtre sont conservés et si les nouvelles fenêtres y sont insérées, il vous faut sceller non seulement les joints entre les nouveaux cadres, mais aussi les joints entre les anciens cadres. De plus, pour les fenêtres à guillotine, vous devez enlever les contrepoids et les cordes et remplir les caissons de mousse de polyuréthane.

Terminez le travail en vérifiant le mouvement des parties ouvrantes et, éventuellement, en les ajustant.

SERVICES

Plomberie

Problèmes et causes

En général, dans un bâtiment vieux de 85 ans et plus, le service de plomberie présente des signes de faiblesse. Les joints commencent à couler, la pression d'eau diminue, l'eau se teinte de rouille et les renvois se bouchent de plus en plus souvent, surtout à cause des machines à laver et des baignoires et des douches qui recueillent beaucoup de cheveux.

Les principales raisons des faiblesses du service de plomberie sont les suivantes :

1. une entrée principale souterraine, entre la rue et le bâtiment, engorgée de dépôts;
2. des tuyaux d'alimentation d'eau, pour chacun des logements, engorgés de dépôts de rouille;
3. les petits renvois des appareils engorgés de dépôts de rouille, de graisse et de cheveux;
4. un siège des robinets usé, que de nouvelles rondelles de caoutchouc (*washer*) n'empêchent pas de couler;
5. des trappes d'accès rouillées, figées dans la peinture et difficiles à ouvrir pour libérer les siphons des dépôts et des déchets qui les encombrent;
6. un rendement des réservoirs à eau chaude réduit à cause de la différence de pression grandissante qui se crée entre les tuyaux d'eau chaude et d'eau froide;
7. l'émail des appareils en fonte usé et écaillé, ce qui rend l'entretien difficile.

Nous avons toutefois de magnifiques salles de bains, aux murs et aux planchers finement recouverts de céramique, qui témoignent de l'époque de construction de la maison et qu'il est parfois triste de faire disparaître.

Pression d'eau trop faible

Avant d'envisager de remplacer la tuyauterie, il est important de s'informer sur la pression d'eau que la Ville fournit dans votre rue. Les conduites sont souvent plus petites sous les anciennes rues, et la pression y est plus faible que dans les rues plus récentes.

Si, alors que la pression de la Ville varie de 80 à 125 livres (niveau normal, 550 à 860 kPa), la pression dans vos appareils est faible, votre tuyauterie est en acier galvanisé et de la rouille colore votre eau, vous devrez probablement remplacer vos tuyaux d'alimentation, et ce, à partir de la soupape d'arrêt principale de la maison.

La rouille qui se forme dans les tuyaux galvanisés réduit considérablement la grosseur du conduit, ce qui fait baisser la pression en conséquence. En revanche, ce n'est pas le cas pour les tuyaux de plomb et les tuyaux de cuivre.

Malgré la bonne performance des anciens tuyaux de plomb, nous savons aujourd'hui que ce métal a des effets néfastes à long terme sur la santé. En outre, ces tuyaux ne sont pas faciles à réparer. Mieux vaut les remplacer, surtout si l'on envisage de remplacer l'ensemble du système d'alimentation.

Aujourd'hui, les tuyaux d'alimentation d'eau des municipalités sont généralement en cuivre.

Renvois lents à couler

Si vos appareils sont lents à se vider, il peut y avoir trois causes à ce problème :

1. des siphons obstrués par des déchets;
2. une grosseur de la tuyauterie réduite par des dépôts de rouille et de graisse;
3. des appareils dépourvus d'évents (de prises d'air).

Solutions

1. VIDER LES SIPHONS

Ouvrez les trappes d'accès sous les siphons, puis videz, à l'aide d'une broche, les dépôts de graisses et de cheveux accumulés.

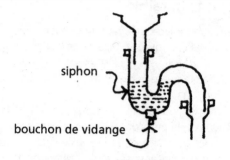

siphon

bouchon de vidange

2. FICHER LES RENVOIS

Si vous n'envisagez pas de remplacer toute la vieille tuyauterie, vous pouvez faire ficher vos petits tuyaux de fonte et d'acier par un plombier.

C'est efficace, mais seulement à court terme. En effet, à cause de la rouille, la surface intérieure des tuyaux demeure rugueuse et les saletés s'y accrochent progressivement.

3. REMPLACER LES RENVOIS

Dans le cas d'un travail d'entretien, il est possible de remplacer les siphons et les renvois en acier galvanisé des appareils, sans avoir à remplacer les gros renvois de fonte.

Il est toujours préférable de faire poser des renvois de cuivre, bien que le renvoi de plastique soit acceptable en l'absence de pression.

Colonne de chute qui coule

Les gros renvois qui ramassent les eaux usées d'un logement, sur toute la hauteur du bâtiment et jusqu'aux égouts de la Ville, sont généralement en fonte dans les murs, et souvent en grès au sous-sol, du moins dans les bâtiments anciens.

La section horizontale en grès du sous-sol est souvent celle qui mérite d'être remplacée, à cause des rongeurs.

Quand toute la conduite est en fonte, c'est généralement le coude joignant la partie horizontale à la partie verticale qui coule et se détériore le plus rapidement.

Solutions

1. REMPLACER LES SECTIONS QUI COULENT

Il convient de remplacer les sections les plus faciles d'accès, en particulier la section au sous-sol.

2. REMPLACER TOUTE LA CHUTE

Dans le cas d'un réaménagement majeur, en particulier si vous déplacez les appareils, il est probable que les colonnes en fonte seront à remplacer. Autrement, consultez un plombier car ces tuyaux sont pratiquement bons à vie.

Quand la colonne est remplacée, il faut avoir un conduit séparé pour recueillir les eaux de pluie du toit, et l'espace doit pouvoir accueillir deux tuyaux de 3 pouces.

3. RÉPARER UN TROU DANS LE TUYAU

S'il s'agit seulement d'un trou dans la colonne en fonte, il suffit de le fermer avec un bouchon qu'on visse au tuyau.

4. REPRENDRE LE JOINT

Si le problème vient d'un joint entre deux sections, le plombier peut facilement le refaire en faisant une soudure à base de plomb et d'étain. Il faut surtout prendre toutes les précautions nécessaires pour éviter un incendie lors d'une telle opération.

Robinets qui coulent

Solution

Fermez l'entrée d'eau et ouvrez les robinets des appareils de la maison pour permettre aux conduits de se vider. Remplacez les rondelles de caoutchouc et les vis qui les retiennent, puis réintroduisez l'eau dans les conduits.

Peu de temps après, il est possible que les robinets se remettent à couler car les sièges en acier sur lesquels s'appuient les rondelles ont parfois été déformés par des rondelles trop usées. Dans ce cas, il faut remplacer les robinets.

Manque d'eau chaude

Dans une maison ancienne où les tuyaux d'alimentation n'ont pas été remplacés, il arrive que vous n'ayez plus d'eau chaude après une douche même si vous avez un bon réservoir. Le problème vient d'un tuyau d'alimentation d'eau chaude engorgé de rouille et des robinets mélangeurs de la douche.

La pression d'eau froide est plus forte que la pression d'eau chaude. Dans le robinet mélangeur, l'eau froide est donc refoulée dans l'eau chaude jusqu'au réservoir, ce qui refroidit l'eau pendant que vous prenez votre douche.

Solutions

1. REMPLACER LA TUYAUTERIE DE L'EAU CHAUDE

Il faut envisager cette solution avant de penser à remplacer le chauffe-eau.

2. VÉRIFIER LES FUSIBLES OU LE BRÛLEUR

Il faut d'abord vérifier les deux fusibles de l'interrupteur situé juste à côté du réservoir pour s'assurer qu'ils ne sont pas brûlés. Le thermostat du brûleur à l'huile ou au gaz peut aussi être défectueux.

3. REMPLACER L'ÉLÉMENT BRÛLÉ

L'un des deux éléments de votre chauffe-eau électrique peut également être brûlé. C'est généralement l'élément du bas qui brûle en raison des dépôts qui s'accumulent et qui ne sont pas vidangés régulièrement.

Un plombier ou un électricien peut vérifier si vos éléments sont encore bons et, si ce n'est pas le cas, les remplacer.

4. REMPLACER LE CHAUFFE-EAU

Après 15 à 20 ans, le fini protecteur à l'intérieur d'un réservoir se fissure, le réservoir rouille et éclate. Il faut donc le remplacer. Les fuites débutent généralement au robinet de vidage.

Note

Au moins une fois par année, vidangez partiellement votre chauffe-eau pour éviter que les dépôts ne fassent surchauffer votre élément et le brûlent.

ÉLECTRICITÉ

Problèmes et causes

Les principales sources d'incendie sont les suivantes :

- des entrées électriques (panneau et fusibles) trop petites;
- des circuits (fils) désuets;
- une quantité plus grande d'appareils électriques;
- des fusibles trop forts (n° 20, n° 25 et même n° 30).

Le chauffage des logements profonds et étroits constitue une autre source importante de problèmes liée à la capacité des installations électriques. Dans ces logements, la présence d'une fournaise au gaz ou au mazout, localisée au centre du logement, incite souvent à ajouter, dans les pièces avant et arrière, des plinthes électriques pour compenser l'inconfort de ces pièces. Une telle intervention surcharge les circuits déjà fortement sollicités et incite à utiliser des fusibles trop forts pour la grosseur des fils.

Voici les principales causes des problèmes électriques :

1. une entrée électrique trop faible pour la demande;
2. un mauvais contact entre un circuit et le panneau de distribution (ou de dérivation);
3. un nombre insuffisant de circuits dans le panneau de distribution pour le nombre d'appareils desservis (un circuit équivalant à un fusible);
4. un fusible trop résistant pour la capacité du fil (du circuit);
5. un trop grand nombre d'appareils sur un seul circuit.

Fusibles qui brûlent

Le circuit protégé par le fusible ou le disjoncteur est surchargé par la trop grande demande de courant des appareils branchés. Le courant est coupé avant que le fil ne surchauffe. Plus le fil est petit, moins il peut transporter de courant.

Solutions

1. RÉPARTIR VOTRE DEMANDE D'ÉLECTRICITÉ

Il faut d'abord vérifier quelles sorties (prises et lumières) protègent chaque fusible (disjoncteur). Il suffit de brancher des lampes à toutes les prises de courant, d'allumer toutes les lumières contrôlées par des interrupteurs et de dévisser à tour de rôle les fusibles. Derrière le couvercle du panneau de distribution, notez les sorties électriques que protège chacun des fusibles.

Ces informations vous permettront de mieux partager votre demande en répartissant vos appareils sur plusieurs circuits (fusibles).

Dans les vieilles maisons où la distribution électrique n'a pas été refaite, les fusibles de calibre 15 (qui laissent passer 15 ampères de courant avant de brûler) devraient être la résistance maximale pour protéger un circuit. À cause de leur isolant séché, les vieux fils sont en effet plus dangereux que les fils neufs lorsqu'ils chauffent.

Voici comment savoir quelle est la demande de chaque appareil électrique et déterminer si la somme des appareils sur le circuit respecte la grosseur du fusible de 15 ampères.

Le nombre d'ampères consommés par certains appareils est indiqué directement sur l'appareil. Si ce n'est pas le cas, faites le calcul vous-même : divisez le nombre de watts de l'appareil par 110 volts.
Exemples :

une lumière de $\dfrac{100 \text{ watts}}{110 \text{ volts}} = 0{,}99$ ampère ;

une plinthe chauffante de $\dfrac{1000 \text{ watts}}{110 \text{ volts}} = 9$ ampères.

Si vous utilisez deux plinthes chauffantes par fusible tout en allumant plusieurs lampes, vous vous rendez compte que cela vous oblige à remplacer le fusible de 15 ampères maximum par un fusible de 20 ampères. Autrement, le circuit serait surchargé au moment où les deux plinthes fonctionneraient en même temps et le fil chaufferait.

En fait, dans ce cas, il serait plus sécuritaire d'utiliser une plinthe par circuit et de garder un fusible de 15 ampères.

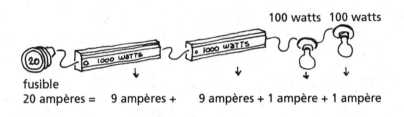

fusible
20 ampères =   9 ampères +   9 ampères + 1 ampère + 1 ampère

2.   INTRODUIRE DE NOUVEAUX CIRCUITS

Dans bien des cas, vous possédez une boîte de distribution (ou panneau de dérivation) de 16 fusibles, dont seulement 12 sont utilisés, les 4 autres ne servant pas. C'est souvent le cas dans des logements où le propriétaire a fait installer le 220 volts pour pouvoir alimenter une cuisinière et une sécheuse, mais n'a pas fait ficher de nouveaux circuits dans l'ensemble du logement.

Si vous êtes dans cette situation, vous devriez normalement pouvoir ajouter de nouveaux circuits dans les pièces où la demande est la plus forte; vous devez auparavant demander à un électricien d'évaluer sur place la capacité totale de l'entrée principale de la maison ou du logement.

Avec ces nouveaux circuits, vous pourriez libérer les circuits déjà chargés et brancher vos appareils à fort ampérage sur les nouveaux fils plus sécuritaires.

3. FAIRE INSTALLER UN LIMITEUR DE COURANT

Si votre panneau de distribution est utilisé au maximum, si vous ne pouvez plus installer de circuits supplémentaires et si vous voulez continuer à utiliser le même nombre d'appareils électriques, il est possible d'installer, à proximité du panneau, un appareil qui limite les demandes d'électricité sur un certain nombre de circuits trop chargés.

De la sorte, il est impossible d'avoir une demande excessive et de surcharger le circuit concerné et l'entrée électrique. Par exemple, si vous utilisez votre sécheuse, le limiteur de courant vous empêche de faire fonctionner votre cuisinière électrique.

C'est la dernière solution à envisager avant de remplacer une entrée électrique devenue trop faible pour la charge totale qu'exigent les appareils de la maison.

4. FAIRE INSTALLER UNE NOUVELLE ENTRÉE

Si votre panneau de distribution est utilisé à son maximum, si vous avez un limiteur de courant, si des fusibles ou des disjoncteurs sautent malgré tout régulièrement et si de plus vos besoins ne sont pas comblés, vous avez tout intérêt à faire évaluer la nouvelle charge totale qu'exige votre système actuel pour connaître la taille que devrait avoir une nouvelle entrée adaptée à vos besoins.

Comme nous l'avons déjà mentionné dans la partie traitant des principes, c'est la surface de la maison, le nombre de pièces à desservir et les appareils à alimenter dans chacune d'elles qui permettent d'établir la charge totale à prévoir (nombre d'ampères), la grosseur minimale de l'entrée électrique devant alimenter le panneau de distribution et la taille de ce panneau.

Le Code de l'électricité du Québec établit des normes en matière de grosseur et de nombre de circuits à mettre en place, ainsi que du nombre d'appareils pouvant y être alimentés.

On peut réutiliser les circuits existants dans la mesure où l'état et la grosseur des fils sont conformes aux règlements en vigueur, ce qui évite de procéder au fichage de l'ensemble de la maison. On allègera simplement les circuits existants de la demande qu'on leur impose en transférant les appareils les plus gourmands sur les nouveaux circuits.

Lumières dont l'intensité fluctue

Il existe au moins deux causes possibles aux baisses subites du niveau d'éclairage de vos lumières :

1. Le circuit sur lequel votre lumière est branchée est déjà chargé, et vous imposez une surcharge momentanée. C'est le cas lorsqu'un moteur se met en marche : il demande alors plus de courant que lorsqu'il fonctionne continuellement.

2. Le circuit est défectueux à cause d'un mauvais contact d'un fil, d'une prise ou d'un interrupteur. La baisse du niveau d'éclairage signale que vous risquez à très court terme de faire sauter un fusible ou de faire chauffer dangereusement un fil.

Solutions

1. UTILISER UN AUTRE CIRCUIT

En cas de surcharge momentanée, libérez le circuit de la surcharge qu'il subit en branchant l'appareil sur un autre circuit moins chargé, qui peut répondre à la demande initiale de son moteur ou de ses éléments électriques.

2. RÉPARER OU REMPLACER L'ÉLÉMENT DÉFECTUEUX

En cas de mauvais contacts, les interrupteurs fonctionnent mal ou émettent un bruit de grésillement. Fermez le courant alimentant ce circuit en dévissant le fusible ou en fermant le disjoncteur concerné, puis réparez ou remplacez l'interrupteur ou la prise défectueuse.

CHAUFFAGE

Introduction

Il existe aujourd'hui plusieurs types de système de chauffage qui tiennent compte du fait que l'énergie est une ressource épuisable et de plus en plus coûteuse. Que nous utilisions l'électricité, le mazout ou le gaz, nous recherchons le système qui consommera le moins possible tout en étant le plus efficace.

On doit également disposer d'un système d'appoint pour faire face à des conditions climatiques changeantes qui risquent de compromettre, pendant quelques heures sinon quelques jours, notre alimentation électrique et les systèmes qui en dépendent.

Même si l'énergie électrique est populaire et accessible au Québec, il est prudent d'installer, si possible dans le sous-sol, une fournaise au bois ou au mazout pouvant fonctionner sans électricité.

Surtout, il faut faire des investissements à long terme pour améliorer l'étanchéité à l'air de notre logement ou de notre maison et, si possible, améliorer aussi l'isolation.

Chauffage électrique

Les problèmes liés au chauffage électrique par plinthes tiennent principalement à la capacité de l'entrée électrique par rapport aux besoins du logement ou de la maison.

Solutions

1. REMPLACER L'ENTRÉE ET INSTALLER DES THERMOSTATS MURAUX

Pour alimenter de façon sécuritaire les plinthes nécessaires dans chacune des pièces, il faut dans bien des cas remplacer l'entrée existante. On en profite pour faire installer des thermostats muraux, plutôt que de conserver des plinthes avec thermostat intégré.

Pour calculer la grosseur de la plinthe à installer dans une pièce disposant d'une fenêtre de dimensions raisonnables, il faut prévoir au minimum 1 watt environ par pied cube (36 watts/m³).

2. CHAUFFER SUFFISAMMENT LE VIDE SANITAIRE

Si vous chauffez un vide sanitaire avec un aérotherme ou avec des plinthes électriques, il faut chauffer ce vide au minimum afin d'éviter d'assécher des sols, qui peuvent être argileux, et de compromettre la stabilité des fondations et de la charpente. Cette intervention constitue la meilleure façon d'améliorer le confort d'un plancher de rez-de-chaussée. Maintenez une température d'environ 60 °F, soit environ 15 °C.

Chauffage avec radiateurs

Ce système de chauffage central mérite d'être conservé, car il procure un confort appréciable en raison de l'inertie de l'eau. L'eau se réchauffe lentement, mais elle perd aussi sa chaleur lentement, ce qui permet d'obtenir une chaleur relativement stable dans le logement ou la maison. Les problèmes sont principalement liés à la distribution inégale de la chaleur dans les pièces et au vieillissement de la bouilloire et de son brûleur.

Solutions

1. DÉCAPER LES RADIATEURS

Comme c'est en permanence la même eau qui circule, les radiateurs sont presque exempts de rouille. Il suffit de les décaper de leur peinture pour améliorer leur performance quant au rayonnement de leur surface.

2. INSTALLER UNE POMPE CIRCULATRICE

Les problèmes liés à ce type de système tiennent principalement à la mauvaise distribution de la chaleur, surtout pour les systèmes ne possédant pas de pompe circulatrice. Il faut donc en faire installer une s'il y a présence de ce type de problème.

3. REMPLACER LES RADIATEURS

Vous aurez éventuellement intérêt à remplacer certains radiateurs, trop gros ou trop petits pour la pièce, ou à faire installer des valves permettant de réduire la circulation de l'eau sur les radiateurs qui deviennent trop chauds.

4. REMPLACER LA BOUILLOIRE

Avec ce type de système, c'est le plus souvent la bouilloire qui peut poser problème. Vous aurez intérêt à la remplacer en accordant une attention particulière à la performance du brûleur et de la chambre de combustion.

5. PURGER LE SYSTÈME

Chaque année, il faut purger le système de l'air qui s'est accumulé dans le réseau de tuyauterie afin d'éliminer les bruits. Pour ce faire, utilisez les valves présentes sur chacun des radiateurs, en commençant par le premier desservi sur la ligne d'alimentation et en terminant par le dernier.

Chauffage à air chaud

Quel que soit le combustible utilisé, ces systèmes offrent plusieurs avantages déjà énumérés à la page 87.

Les problèmes rencontrés avec ces systèmes tiennent surtout à l'entretien des équipements qui y sont annexés et au nettoyage des conduits de distribution de l'air chaud, qui, après plusieurs années, se chargent de dépôts de poussière.

Solution

Il faut remplacer les filtres assurant la qualité de l'air du système et nettoyer le système d'humidification de l'air. On peut aussi mettre en place un système permettant de renouveler l'air de la maison (échangeur/récupérateur de chaleur), tout en préchauffant l'air provenant de l'extérieur.

Ce dispositif est d'autant plus nécessaire lorsqu'on a amélioré l'étanchéité à l'air de l'enveloppe du bâtiment : tout en contrôlant mieux le taux d'humidité, on doit assurer un changement d'air permanent de la maison.

Comme nous l'avons déjà mentionné, pour faire des économies d'énergie avec ces systèmes, il faut veiller à l'efficacité du brûleur à la fois en matière de combustion du mazout et du volume de la chambre de combustion de la fournaise.

GUIDE D'ÉVALUATION DE LA QUALITÉ D'UN BÂTIMENT ANCIEN

INTRODUCTION

Un bâtiment nous plaît d'abord par l'unité de son caractère architectural, par les qualités de ses aménagements intérieurs et extérieurs, ainsi que par sa capacité à répondre à nos besoins.

Selon le résultat de cette première évaluation, en fonction du prix que nous sommes en mesure de payer pour acquérir le bâtiment, nous poursuivrons ou non la démarche afin de mieux connaître l'état général de ses composantes et de déterminer les montants nécessaires pour le rendre conforme à nos besoins.

Il faut alors regarder d'un peu plus près ce qui peut être transformé en matière d'aménagements et dans quelle mesure la charpente de la maison permet de le faire.

Cette étape consiste à analyser le potentiel de réaménagement des espaces et des coûts impliqués. C'est le moment propice pour procéder, simultanément, à une évaluation de l'état général des composantes de la maison ou confier ce travail à un expert.

Pour faire ce travail, il faut connaître en détail les règles régissant la construction de la maison et la façon dont ses composantes se sont comportées avec le temps. On peut ensuite dresser une liste des travaux à effectuer pour modifier les aménagements et corriger, par ordre d'importance, les éléments détériorés.

Cette démarche s'adresse bien sûr à ceux et celles qui s'apprêtent à acquérir une maison, mais aussi aux propriétaires qui désirent établir un programme de travaux d'entretien à la fois cohérent et efficace. Elle permet de déterminer l'ordre à suivre pour réaliser les travaux et les budgets qu'implique chacune des étapes de la restauration ou de la rénovation.

Procédure à suivre lors de l'inspection

Lorsqu'on évalue la qualité d'un bâtiment, il faut d'abord s'intéresser aux parties les plus importantes lors de la construction, c'est-à-dire les éléments de structure.

Avant d'analyser ces éléments à l'intérieur du bâtiment, il est conseillé d'observer la maison de loin. De l'extérieur, de l'autre côté de la rue et de la ruelle; il faut observer si le bâtiment et ses ouvertures se sont déformés, relever la position des fissures dans les parements, la position des arbres, des gouttières, les pentes de drainage des eaux de surface, et, si possible, évaluer l'état général des fenêtres, de la couverture, des balcons et de la cheminée.

Ces observations vous aideront probablement à comprendre la cause de certains problèmes lorsque vous serez au sous-sol ou sur le toit. De plus, elles donnent souvent des indications sur les problèmes liés au site et à la structure du bâtiment.

Après avoir fait ces observations extérieures sommaires, il faut descendre au sous-sol ou dans le vide sanitaire pour analyser les fondations et la partie visible de la charpente du plancher du rez-de-chaussée.

La fondation et la charpente déterminent la valeur et la solidité du bâtiment. Il faut donc les réparer avant toute autre intervention. Dans certains cas, les travaux à effectuer sur la structure sont coûteux, ce qui peut influer sur la décision d'acheter le bâtiment ou sur le prix à payer pour l'acquérir.

Une fois qu'on a examiné la fondation et la partie visible de la charpente, il est possible d'établir un lien avec certains problèmes observés de l'extérieur, par exemple lorsqu'on constate des infiltrations d'eau, la pourriture de certains éléments ou encore l'affaissement de certaines composantes de la fondation ou de la structure de la maison. Cet examen renseigne également sur la composition des murs extérieurs et les problèmes qu'ils posent.

Il faut en profiter pour relever la position et l'état de l'entrée d'eau, des tuyaux d'alimentation et des renvois, de la fournaise et des chauffe-eau et de tout autre élément devant faire l'objet d'une évaluation.

Il est donc parfois nécessaire de retourner à l'extérieur du bâtiment pour mieux connaître les causes de certains problèmes observés au sous-sol ou durant l'inspection visuelle initiale.

Après avoir effectué les observations au sous-sol, on analyse générale-ment la charpente de la maison à partir du cloisonnement du logement du rez-de-chaussée. L'état des finis de plâtre, la position de certaines fissures et la configuration des aménagements permettent généralement de déterminer quels sont les éléments porteurs de la charpente. Au besoin, on peut confirmer ces hypothèses en faisant un trou dans le plafond d'un rangement.

L'analyse de la structure donne aussi l'occasion de relever l'état général du fini des murs et des planchers, du mobilier intégré, des portes et des fenêtres, des appareils de plomberie, ainsi que la position et la capacité de l'entrée électrique eu égard aux besoins de la maison.

On répète cette analyse de la structure et l'évaluation qui l'accompagne à chacun des étages, tout en observant le degré de déformation des planchers et des murs structuraux. En passant d'un étage à l'autre, on évalue l'état général de la surface des balcons, des galeries, des portes et des murs extérieurs, ainsi que l'état général des joints de mortier.

L'inspection se termine sur le toit, où l'on évalue l'état de la membrane d'étanchéité, la quantité de pierre concassée la couvrant, l'état et la position du système de drainage, le degré de détérioration des contre-solins de métal, l'état de la maçonnerie et des joints de mortier entourant les parapets et la cheminée, ainsi que la position de l'entrée électrique. On peut aussi relever s'il y a ou non des matériaux isolants et de la ventilation dans l'entretoit.

C'est également l'occasion d'observer l'état des parties de toitures mansardées et l'état général des annexes comme les garages, les hangars et autres dépendances.

Cette inspection peut se conclure par un rapport écrit détaillé, comprenant les observations faites par le professionnel, les conclusions tirées quant aux travaux à réaliser et le budget nécessaire pour remettre le bâtiment en bon état.

Elle peut aussi se conclure, sur place et en présence du propriétaire, en faisant une liste des principaux travaux à faire exécuter et en déterminant l'ordre à suivre pour les réaliser, ainsi que l'enveloppe budgétaire à prévoir pour chacune des opérations. C'est une façon peu coûteuse de connaître l'état général du bâtiment et d'établir les interventions à réaliser à court, moyen et long termes pour qu'il reste en bon état.

Cette démarche s'adresse principalement à ceux et celles qui sont déjà propriétaires et qui veulent établir un programme d'entretien rigoureux et cohérent quant aux étapes à suivre.

Liste des éléments à observer

1. LA STRUCTURE

A. La charpente

Les problèmes de charpente sont souvent dus à des problèmes de conception, à des fondations déficientes ou encore à un sol instable.

Lorsqu'il n'y a pas de traces de déformations et de fissures majeures dans les finis intérieurs et les parements extérieurs en maçonnerie, cela indique que la charpente du bâtiment est restée stable. Quant à l'absence de pourriture des éléments de charpente du sous-sol, elle indique que l'espace est bien ventilé, que les murs de fondations sont suffisamment étanches à l'eau et que le sol autour du bâtiment rejette les eaux de pluie loin des murs extérieurs.

1. De l'extérieur, remarquez-vous de grosses fissures obliques dans les murs de maçonnerie et les murs de fondation ?
   (Tassements différentiels.)

2. La maison semble-t-elle s'être beaucoup déformée avec les années, soit en raison d'un enfoncement sur un des côtés, soit au niveau des ouvertures de portes et de fenêtres ?
   (Tassements différentiels du sol et des fondations.)

3. Le faîte du toit en pente s'enfonce-t-il beaucoup vers le centre de la maison ?
   (Déformation de la charpente du toit.)

4. Les balcons sont-ils inclinés sur un des côtés ou vers le centre de la maison ?
   (Déformation de la charpente des planchers.)

5. De l'intérieur, les planchers sont-ils fortement inclinés vers le centre de la maison ou vers un de ses murs mitoyens ? Répétez l'observation à chacun des étages et au sous-sol pour en comprendre les causes.

6. Les cadres des portes intérieurs sont-ils très déformés ?
(Tassements différentiels des murs porteurs.)

7. Au rez-de-chaussée, les plinthes sont-elles très détachées des surfaces de plancher ? Dans ce cas, observez au sous-sol l'état des solives aux murs extérieurs.

8. Au sous-sol, la poutre centrale est-elle très déformée entre les colonnes ?
(Tassement des semelles ou portée trop grande pour la grosseur de la poutre.)

9. Les semelles des colonnes sont-elles en béton et sont-elles assez grandes ? Ce point renvoie au rapport entre la résistance du sol et la surface d'appui des semelles.

10. Les solives de plancher que vous observez par le sous-sol sont-elles bien appuyées sur la poutre centrale et sont-elles assez grosses pour la portée ?
(Détachement ou déformation d'une charpente de plancher.)

11. La jonction de ces solives et de cette poutre avec les murs de fondation en béton ou en pierre est-elle pourrie ?
(Affaissements de plancher aux murs extérieurs.)

12. Les cloisons porteuses des étages sont-elles bien alignées les unes sur les autres et sur la poutre du sous-sol ?
(Déformations et tassements différentiels des cloisons et des planchers.)

B. Les fondations

1. Y a-t-il des fissures majeures dans les murs de fondation ?
(Gel, tassements différentiels, surplus d'eau dans la préparation du béton.)

2. Les murs de fondation de béton s'effritent-ils ?
(Manque de ciment dans le mélange initial du béton et sol humide.)

3. Les fondations de pierre sont-elles protégées du gel ?
(La profondeur enfouie dans le sol est-elle suffisante ?)

4. Les murs de fondation sont-ils déposés sur une semelle en pierre ou en béton ?
   (Tassements différentiels ou généraux de la maison.)

5. Y a-t-il des infiltrations d'eau à travers les murs de fondation ou à travers le plancher du sous-sol ?
   (Pourriture et développement de champignons.)

6. Quelle est la nature du sol sous le bâtiment ? Est-ce du sable, de l'argile ou du roc ?
   (Tassements par assèchement ou par ruissellement des eaux de surface.)

7. Les murs de la fondation ont-ils été isolés ?
   (Présence de champignons ou dégradation par le gel du vieux béton.)

2. L'ENVELOPPE DU BÂTIMENT

A. Le parement de maçonnerie

1. Pouvez-vous porter un jugement favorable sur la qualité de la brique ou de la pierre, compte tenu qu'une peinture-émail est à déconseiller ?
   (Durabilité du matériau de parement.)

2. Les joints de mortier sont-ils en bon état, autant sous les allèges qu'entre les éléments de maçonnerie en général ? Quel type de mortier loge dans les joints ?
   (Infiltrations d'eau, gel et déformation des surfaces.)

3. Les linteaux et les allèges sont-ils détériorés par l'eau et le gel ?
   (Fissurations et éclatement des éléments.)

4. Y a-t-il des gonflements majeurs et nombreux dans les surfaces, comme si la maçonnerie voulait se détacher de la charpente en bois des murs ? Cela peut se manifester en bas, au milieu et en haut du bâtiment et exiger de refaire ces surfaces. Ces conditions sont plus critiques lorsque les murs extérieurs sont porteurs et en maçonnerie massive.
   (Effondrement possible d'une surface de mur en maçonnerie.)

5. La corniche et les parapets de maçonnerie de la façade principale sont-ils très inclinés vers le toit ou raisonnablement inclinés vers le toit ?
(Renversement des éléments sur le toit ou infiltration massive d'eau dans le mur, à travers les joints détériorés.)

B. Le parement de bois

1. La peinture ou la teinture appliquée sur le parement de bois est-elle très écaillée et est-il possible de la restaurer sans endommager le bois ?

2. Le parement est-il pourri ou seulement quelques surfaces remplaçables sont-elles affectées ?

3. Est-il possible de décaper en toute sécurité la peinture-émail existante ?

4. Le parement est-il appliqué sur une fourrure et est-il possible de ventiler l'espace situé derrière ?

5. Les boiseries qui accompagnent le parement sont-elles récupérables ?

6. Peut-on mieux protéger le parement du ruissellement de l'eau de pluie provenant du toit ?

C. La couverture du toit

1. Le toit est-il ventilé ?
(Durabilité de la membrane ou des bardeaux d'asphalte.)

2. Quel est le matériau de couverture du toit ?
(La réponse détermine le type d'inspection à faire.)

3. Quel est le matériau de couverture de la mansarde ? Notez le matériau présent, son état et le matériau d'origine, si vous le connaissez.

4. La membrane multicouche du toit plat est-elle entièrement recouverte d'une bonne épaisseur de pierre concassée ?
(Protection des asphaltes contre les ultraviolets, l'érosion, le vent.)

5. Sous la pierre, retrouve-t-on de l'asphalte ou du papier noir non protégé ?
   (Détérioration de la membrane due à la putréfaction des feutres asphaltés.)

6. Y a-t-il des fissures importantes dans la membrane ou de gros gonflements dans la surface qui ont occasionné des fissures ?
   (Risque que la couverture coule.)

7. S'il y a des bardeaux d'asphalte, sont-ils presque tous retroussés à leurs extrémités ?
   (Assèchement du bardeau et conditions favorisant les infiltrations, les arrachements ou les bris.)

8. Les contre-solins métalliques recouvrant les murs parapets et le contour des cheminées sont-ils rouillés, voire perforés ?
   (Infiltration d'eau dans la maçonnerie et détérioration par le gel et la rouille.)

9. Le drain du toit est-il protégé par un grillage et bien dégagé ?
   (Débordement des eaux du toit dans les murs et les plafonds.)

10. En quelle année la membrane du toit a-t-elle été remplacée ?
    (La réponse permet de prévoir la durée de vie de la membrane si elle est en bon état.)

D. Les portes et les fenêtres

1. Les portes et les fenêtres sont-elles de bonne qualité et respectent-elles le caractère de la maison ?
   (Valeur architecturale et performance technique.)

2. Les boiseries d'origine sont-elles toujours présentes autour des ouvertures ?

3. Les volets des fenêtres sont-ils faciles à manipuler ?
   (Usure, déformation.)

4. Le bois des cadres et des volets est-il pourri ?
   (Résistance du matériau.)

5. Les portes et les fenêtres sont-elles munies de coupe-froid ?
   (Étanchéité à l'eau et à l'air.)

6. Les contrepoids des fenêtres fonctionnent-ils ?
   (Manipulation facile des volets.)

7. L'état de la peinture est-il acceptable ?
   (Protection contre l'eau et les rayons ultraviolets.)

8. Les seuils et les allèges en bois sont-ils pourris ?
   (Protection de la charpente et du parement des murs.)

9. Les fenêtres doubles sont-elles en bon état ?
   (Efficacité énergétique et manipulation.)

10. La quincaillerie des portes et des fenêtres est-elle en bon état ?
    (Sécurité, manutention, stabilité.)

3. LES FINIS INTÉRIEURS

A. Les enduits de plâtre

1. Le plâtre est-il détaché à plusieurs endroits de la charpente des murs ?
   Appuyez sur les gonflements les plus apparents pour vérifier s'ils s'enfoncent. Faites le tour de chacune des pièces, des étages et de chacun des logements. Lorsque les surfaces bougent, il faut en règle générale les démolir et les refaire.

2. Décelez-vous les mêmes problèmes pour les plafonds ?
   Vous remarquerez que le plafond du dernier étage est toujours plus affecté que les autres, à cause soit d'une membrane de couverture qui a coulé, soit de la structure trop faible du toit qui a ployé sous le poids de la neige ou de la glace et qui a fait se fissurer les enduits.

3. L'enduit de plâtre sous les fenêtres est-il dégradé ?
   C'est une surface souvent humide, en raison de la condensation sur les fenêtres ou de l'infiltration d'eau de pluie.
   (Excès d'humidité dans la maison ou le logement.)

4. Y a-t-il plusieurs fissures dans les angles des murs et au-dessus des cadres de portes ?
   (Problèmes structuraux à déterminer et à résoudre.)

B. Les finis de plancher

1. Quel matériau recouvre le plancher des pièces de séjour ?
   Dans quel état est-il ?

2. Quel matériau recouvre le plancher de la salle de bains ?

3. Quel matériau recouvre le plancher de la cuisine ?

4. Les plinthes et les quarts-de-rond sont-ils tous présents ?

5. Le sablage des planchers de bois franc est-il récent ?

6. Y a-t-il des surfaces de plancher recouvertes de bois mous ?
   Notez les pièces ou les étages.

C. Le mobilier intégré et la qualité des espaces

Lorsqu'on évalue les finis à l'intérieur de chacune des pièces, il est approprié de noter la présence et la qualité du mobilier intégré.

1. Y a-t-il un foyer dans le séjour ?

2. Y a-t-il du mobilier intégré dans le séjour ?

3. Les chambres à coucher ont-elles un garde-robe ou un rangement ?

4. Les pièces sont-elles toutes bien éclairées et bien ventilées ?

5. Les armoires de cuisine sont-elles en bon état ?

6. L'espace de la cuisine permet-il un réaménagement ?

7. La maison offre-t-elle assez de surface de rangement ?

8. La salle de bains peut-elle être agrandie ?

9. Peut-on ajouter un espace pour les appareils de lavage ?

10. Les boiseries sont-elles authentiques et ont-elles une valeur ?

11. Quelles sont les possibilités d'aménagement offertes en fonction de la forme et de la dimension des espaces ?

12. Y a-t-il des prolongements extérieurs ?
    Sinon, sont-ils faciles à réaliser ?

13. Le soleil pénètre-t-il dans les pièces comme vous le souhaitez ?

14. Les plâtres doivent-ils être entièrement repeints ?

15. Quelle est la superficie de plancher de chacun des étages ?

4. LES SERVICES

A. La plomberie

1. Y a-t-il une bonne pression d'eau chaude et d'eau froide à chaque étage ?

2. Y a-t-il des traces de rouille dans l'eau à l'ouverture des robinets ?

3. Comment l'eau est-elle chauffée ?

4. Les appareils de plomberie sont-ils en bon état ?

5. Y a-t-il des soupapes d'arrêt sur les appareils ? Si oui, lesquels ?

6. Y a-t-il une soupape d'arrêt sur le conduit d'alimentation en eau du logement ? Si oui, est-elle située dans le logement ou au sous-sol ?

7. Les renvois éliminent-ils rapidement l'eau provenant des robinets ?

8. Les conduits d'alimentation en eau et les renvois des appareils ont-ils été remplacés jusque dans les planchers ? En quels matériaux sont-ils ?

9. La robinetterie des appareils a-t-elle été remplacée ? Si oui, sur quels appareils ?

10. Y a-t-il une alimentation en eau et un renvoi pour une machine à laver et une laveuse à vaisselle ?

B. L'électricité

1. À première vue, la capacité de l'entrée électrique est-elle suffisante pour les équipements électriques de la maison (60, 100, 125, 150, 200 ampères) ? Il peut être nécessaire de calculer la charge électrique totale de la maison.

2. Le panneau de distribution et le compteur sont-ils à l'avant ou à l'arrière de la maison ?
   (Réaménagement possible.)

3. L'entrée électrique est-elle réalisée en aérien ou en souterrain ?

4. Combien de circuits sont utilisés ? Combien sont encore disponibles dans le panneau de distribution électrique ?
   (Fusibles ou disjoncteurs de 110 ou 220 ampères.)

5. Combien de prises de courant alimentent chacune des pièces ? (Voir les exigences du Code du bâtiment.)

6. La prise électrique du comptoir de cuisine est-elle seule sur le circuit qui l'alimente ?

7. De nouveaux circuits électriques ont-ils été ajoutés ? Si oui, pour quels appareils ? Ces circuits ont-ils été fichés dans les murs ou installés en surface ?

8. Existe-t-il une mise à la terre conforme aux nouvelles exigences du Code du bâtiment ?

C. Le chauffage

Il n'est pas possible d'expliquer ici comment évaluer chacun des systèmes actuellement sur le marché. Il est plus utile de proposer une démarche à suivre et un certain nombre de questions liées à la sécurité des occupants et à l'efficacité de certains systèmes.

Pour évaluer le système de chauffage, il est plus sage de vous adresser à l'entreprise qui entretient le système en place, afin de savoir quelles améliorations peuvent être faites, ou à un électricien, afin de vous assurer que le système de chauffage électrique est conforme à la capacité de l'entrée électrique.

Lors de l'inspection d'un système en particulier, vous vous contenterez donc de noter le système existant, le combustible utilisé, la capacité de la bouilloire (ou du compresseur dans le cas d'une thermopompe) et le numéro de série du brûleur ou de l'appareil installé. Ces informations vous permettront de contacter une entreprise spécialisée dans ce type de système et d'obtenir une évaluation portant sur la modification ou le remplacement éventuel d'une des composantes du système.

S'il y a un appareil à combustion dans la maison, il est important d'inspecter la pièce où il se trouve pour voir si une prise d'air extérieure alimente cette combustion et si les gaz brûlés sont adéquatement rejetés par les conduits et la cheminée.

5. LES GALERIES ET LES BALCONS

1. Certains sont-ils à refaire en entier ? Si oui, lesquels ?

2. Certaines surfaces sont-elles à remplacer ? Si oui, lesquelles ?

3. Les balustrades sont-elles conformes aux codes de construction ? (Sécurité des enfants.)

4. Les frises, les balustrades et les consoles ont-elles conservé leurs caractéristiques architecturales ?

5. Y a-t-il des affaissements ou des déformations importantes ? Si oui, il se peut que la charpente soit à remplacer ou à réparer.

6. La peinture est-elle à refaire ?

7. Les accès aux dépendances (hangars, garages) sont-ils solides et sécuritaires ?

8. Les escaliers extérieurs, avant et arrière, doivent-ils être remplacés ?

9. Y a-t-il des dépendances à démolir ? Si oui, lesquelles ?

10. Les balcons et les galeries sont-ils protégés par des toitures ? En quel matériau sont-ils faits et quel est l'état de la couverture de ces toits ?

ANNEXES

SYSTÈMES DE CONSTRUCTION DU QUÉBEC

Habitation rurale – XVIIIᵉ et XIXᵉ siècle

Toiture avec fermes / pannes / platelages
Pentes de plus ou moins 45 degrés
Sous-sol utilitaire

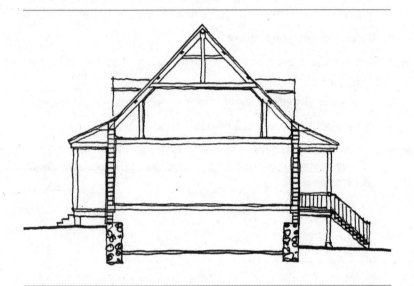

Murs extérieurs de pièce sur pièce de plus ou moins 7 pouces (175 mm) avec parement en bardeaux de cèdre, en planches verticales ou horizontales à clin.

Murs avant et arrière porteurs.
Fondations en moellon.

Habitation urbaine et rurale – XIXᵉ siècle

Toiture à 2 ou 4 versants
Chevrons ou fermes à l'anglaise
Pentes de plus ou moins 45 à 30 degrés

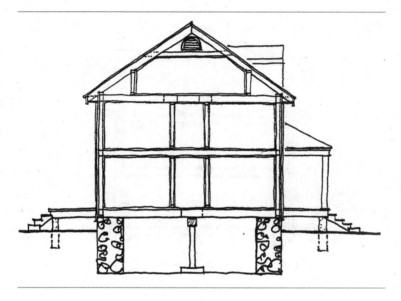

Murs extérieurs en 2 x 4, charpente à claire-voie, parement en bardeaux de cèdre, en planches verticales ou horizontales à clin.

Le mur en 2 x 4 est parfois isolé avec du bran de scie ou des algues séchées.

Murs avant et arrière porteurs.
Cloisons porteuses.

Habitation urbaine et rurale – XIXe siècle

Toiture mansardé – solives / chevrons / murets
Terrassons à faible pente de plus ou moins 15 à 30 degrés
Brisis

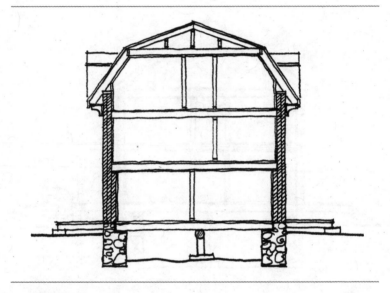

Murs extérieurs de brique de 8 et 12 pouces (200 et 300 mm), selon les étages.

Murs avant et arrière porteurs. Cloisons porteuses.

Habitation urbaine – xixe siècle

Toiture mansardé pour la façade sur rue
Terrassons à faible pente pour la façade arrière
Demi sous-sol habitable

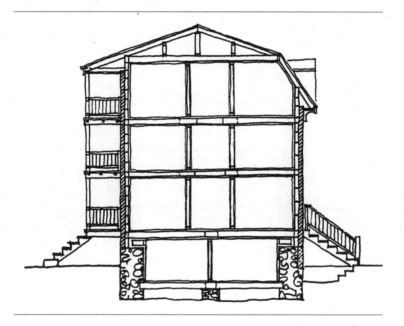

Murs extérieurs en carré de madrier de 3 pouces (75 mm) avec parement de brique de 4 pouces (100 mm) ou de pierre sciée sur la façade principale.

Murs avant et arrière porteurs.
Cloisons porteuses.

Habitation urbaine et rurale – xixᵉ siècle

Toiture à 2 ou 4 versants
Chevrons
Pentes de plus ou moins 45 à 30 degrés

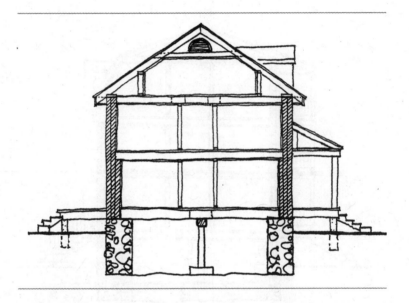

 Murs extérieurs de brique de 8 et 12 pouces (200 et 300 mm).

Murs avant et arrière porteurs. Cloisons porteuses.

Habitation rurale – xixᵉ siècle

Fausse mansarde (brisis et terrassons) sur 2 ou 4 faces
Terrassons avec pente de plus ou moins 10 à 20 degrés

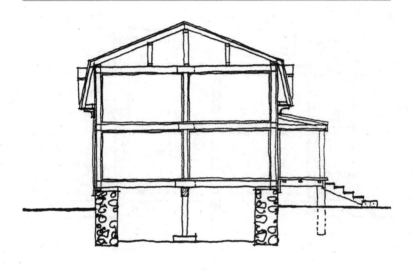

Murs extérieurs en 2 x 4, charpente à claire-voie, parement extérieur en bardeaux de cèdre, en feutres asphaltés, en planches verticales ou horizontales à clin.

Le mur en 2 x 4 est parfois isolé avec du bran de scie ou des algues séchées.

Murs avant et arrière porteurs.
Cloisons porteuses.

Habitation urbaine – XIXe siècle

Toiture à fausse mansarde et simple terrasson
Transformation du terrasson pour une toiture-terrasse à 2 ou 4 versants
Bâtiment de 2 ou 3 étages

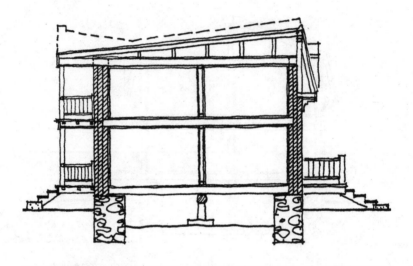

Murs extérieurs de brique de 8 et 12 pouces (200 et 300 mm). Parement en pierre sciée de 6 pouces (150 mm) parfois ajouté au mur de brique de la façade sur rue.

Murs avant et arrière porteurs. Cloisons porteuses.

Habitation urbaine – début XXᵉ siècle

Bâtiment de 2 ou 3 étages
Toiture-terrasse drainée et ventilée
Sous-sol utilitaire

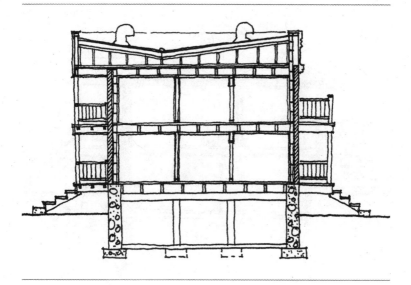

Murs extérieurs en carré de madrier de 3 pouces (75 mm) ou en carré de madrier de 2 pouces (50 mm) et un revêtement extérieur en planches posé à 45 degrés. Parement extérieur en brique de 4 pouces (100 mm).

Murs mitoyens porteurs.

Fondations en béton et roches.

Habitation urbaine et rurale – entre 1960 et 1980

Toiture à 2 versants / fermes préfabriquées ou chevrons
Pentes variant entre 20 et 30 degrés
Entretoit ventilé / isolation entre 4 et 8 pouces (100 et 200 mm)

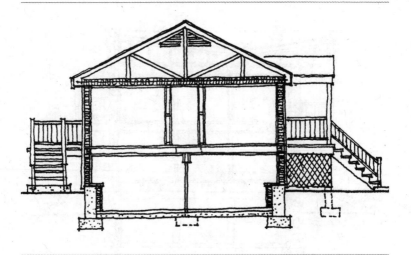

Murs extérieurs en 2 x 4, charpente à plate-forme. Revêtement extérieur en carton-fibre bitumé. Parement extérieur de brique, en planches verticales ou horizontales à clin (bois ou aluminium).

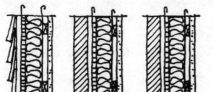

Murs avant et arrière porteurs.
Fondations en béton.